D1638751

OUBLIER GLORIA

Phyllis LUXEM

OUBLIER GLORIA

(Blue Harbor)

Roman traduit de l'américain
par Florence BARBEROUSSE

PUBLICATIONS EDITIONS MONDIALES
2, rue des Italiens — PARIS-9e

ISBN N° 2-7074-3464-7

PROLOGUE

En entrant, Lynn entendit la sonnerie du télé-phone. Ce ne pouvait être que des bonnes nou-velles de *Blue Harbor* ! Ses doigts tremblaient un peu lorsqu'elle souleva l'appareil, mais elle maîtrisa sa voix pour dire :

« — Ici Lynn Baylon ! »

« — Mademoiselle Baylon, dit une voix polie et douce, ici Julian Snow. Pour votre boutique à l'hôtel..., nous avons décidé... »

Son interlocuteur s'étant tu, Lynn fut prise d'inquiétude...

« — Nous avons décidé que nous tenterons un essai... Excusez-moi, mais on me parlait... Si cela plaît à nos clients, ce sera bien pour vous et pour nous. Madame Snow, ma femme, était sceptique, mais j'ai réussi à la convaincre. Si vous voulez bien passer cet après-midi... »

« — Bien entendu, monsieur Snow ! Je vous suis très reconnaissante ! »

Brusquement, le monde était redevenu beau et Lynn alla d'un pas rapide dans son petit atelier pour jeter un coup d'œil critique aux bijoux, colliers, boucles d'oreilles, bracelets, broches...

Elle était fière de ses coloris suaves... L'émeraude des séquoias du nord, le vert plus profond des pins et le turquoise de l'épicéa contrastaient avec les douces nuances de crépuscule et le bleu des lacs et des rivières. C'était du travail que les hôtes de *Blue Harbor* apprécieraient.

Si elle se dépêchait, elle pourrait terminer le bracelet et l'ajouter...

Elle prit la plaque bleue, la fine tresse d'or, et les ajusta soigneusement. Quand elle eut terminé, elle sut que c'était l'une de ses meilleures pièces.

« Ce travail, c'est ma vie ! » pensa-t-elle. Ses parents, qui étaient morts depuis, l'avaient encouragée. Son père ne s'était jamais inquiété de sa solitude, persuadé que celle-ci aurait une fin. « Tu me ressembles, mais tu as le caractère de ta mère ! » avait-il dit un jour. Elle avait les mêmes cheveux bruns, des yeux gris et sa taille, mais elle n'avait ni sa bonne humeur ni son amour pour les gens et les choses. C'était de sa mère seule qu'elle tenait sa timidité.

Elle déjeuna rapidement, en regardant par la fenêtre de la cuisine. Dans les forêts du nord, mai était un mois de beauté. Tous les arbres se

paraient d'un vert délicat et les petits animaux
devenaient audacieux. Justement, un jeune écureuil l'observait de ses yeux noirs en se balan-
çant sur une branche.

Elle prit la route qui serpentait dans la forêt
comme un ruban marron, jusqu'au moment où
elle arriva au *Blue Harbor*. Le long bâtiment se
trouvait au bord du lac et l'eau était d'un bleu
soyeux... Cette beauté lui coupa le souffle.

Julian Snow vint l'accueillir et lui prit la
lourde valise des mains.

Cet homme, elle l'avait toujours admiré. Il
était grand, blond, avait de l'allure.

— Je suis content que vous soyez arrivée,
mademoiselle Baylon, dit-il avec un sourire.
Alice est là... Ma femme est très perfectionniste.
Elle doit tout vérifier avant de donner son
accord et je... Eh bien, je la suis ! Elle a rarement
tort. Venez dans mon bureau !

Lynn avait ouvert la valise et était en train
d'expliquer avec quels matériaux elle travaillait
lorsque Alice Snow entra.

Les cheveux auburn, d'une grâce délicate,
elle ressemblait à une déesse des bois. Seul son
regard trahissait son impatience, sa quête inces-
sante.

Elle dit, d'une voix âpre :

— Voyons, mademoiselle Baylon, il faut faire un choix...

Il y eut un silence pendant lequel elle examina le contenu de la valise.

Elle désigna plusieurs objets d'un long doigt aux ongles rouges.

— J'avais l'intention de tous les utiliser, dit Lynn, en oubliant sa timidité. Et j'en ai d'autres, tous différents. Chaque pièce est unique !

Alice Snow la regarda de ses yeux bleu foncé.

— Si ce que vous dites est vrai, mademoiselle Baylon...

Julian Snow lui coupa la parole...

— Elle l'a dit, Alice ! Je crois que nous devons la laisser exposer ce qu'elle veut !

Alice Snow se détourna comme si elle se désintéressait de la question.

— Comme vous voudrez ! dit-elle avec un haussement d'épaules. J'aurais aimé que Jay soit présent pour me soutenir. Il est très perspicace... Enfin, il sera là bientôt ! Veuillez m'excuser, j'ai rendez-vous et je suis en retard.

Elle tourna les talons et s'en alla.

On entendit pendant un moment le claquement sec de ses talons hauts.

— Permettez-moi de vous montrer l'endroit auquel nous avons pensé, dit Julian Snow. Je vais appeler Shelley et vous vous arrangerez avec lui pour l'installation.

Lynn pensa que ce Shelley était un homme d'âge mûr chargé des basses besognes. Elle fut donc étonnée quand apparut un homme jeune, grand et musclé. Ses cheveux noirs étaient parsemés de sciure.

— Mademoiselle Baylon, voici Shelley Grayle, dit Julian Snow. Je lui ai expliqué ce que vous comptiez faire et il va vous aider à tout arranger. Maintenant, je vais vous laisser. Je dois m'occuper d'autres choses.

— Si vous voulez, nous pouvons commencer tout de suite, dit Shelley Grayle en serrant les doigts de Lynn dans sa puissante main.

Pendant un moment ils discutèrent.

Shelley Grayle finit par dire lentement :

— Ne vous laissez pas impressionner par les Snow ! Surtout par elle... Rien ne vaut qu'on s'en fasse, d'ailleurs !

— Quelle philosophie ! dit Lynn avec un sourire.

— C'est la meilleure ! répliqua-t-il en faisant une grimace. « Ne jamais se préoccuper de rien ! » telle est ma devise. Ceux qui ont cette devise vivent vieux, vous savez...

Sur le chemin du retour, Lynn pensa aux trois personnes qu'elle avait rencontrées. La saison pourrait être intéressante dans plus d'un domaine...

CHAPITRE PREMIER

Shelley Grayle regarda avec satisfaction le résultat de ses efforts. La boutique située dans une vaste pièce — des étagères de bois sombre, un comptoir — lui paraissait attractive.

Il alla prendre dans un coin un haut tabouret. Quand il l'eut placé derrière le comptoir il sourit.

— Vous n'allez pas rester debout toute la journée, n'est-ce pas ? dit-il à Lynn.

Celle-ci se mit à disposer les bijoux sur les étagères.

— Vous avez le sens des couleurs, mademoiselle Baylon ! Vos bleus, vos verts et vos jaunes paraissent avoir été pris dans la nature... Vous irez certainement loin !

Elle sentit s'échauffer ses joues. Comment aurait-elle pu être insensible à une telle appréciation ?

— Moi, j'étalais de la peinture sur des toiles,

ajouta-t-il en soulevant un mince collier. Il y a
longtemps de cela... Je n'étais pas encore
l'homme à tout faire de *Blue Harbor*.

— Pourquoi n'avez-vous pas continué ?
demanda-t-elle, la curiosité l'emportant sur la
timidité.

Il haussa ses larges épaules et sourit, mais
l'expression de son regard resta sévère.

— Je m'en suis fatigué. Il me reste deux tableaux. Je les sortirai un jour, si vous voulez...

Il avait parlé sur un ton léger, mais elle avait
bien vu que le sujet lui était pénible.

Il était arrivé quelque chose à Shelley Grayle,
qui l'avait transformé en un être souple et faus-
sement insouciant !

— Je serai ravie de les voir...

Lynn se retourna, car Alice Snow venait
d'entrer dans la pièce et se dirigeait vers eux.

Alice Snow était vêtue d'un magnifique fourreau blanc et ses cheveux auburn étaient remon-
tés en un lourd chignon sur sa petite tête.

— Shelley, monsieur Snow vous cherche !
lança-t-elle. Vous le trouverez au ponton 3. Vous
devez en avoir fini ici avec mademoiselle Baylon ?

Shelley Grayle s'éloigna d'un pas traînant et
Alice Snow se tourna vers Lynn.

— Je vois que vous êtes prête, mademoiselle
Baylon. J'espère que les affaires marcheront...

Le mois de mai sera calme, mais en juin nous devrions savoir si vos produits sont faits pour être vendus... (Alice Snow prit une boucle d'oreille, l'examina.) Intéressant ! Mais, je ne porte jamais de boucles d'oreilles...

Lynn eut l'impression qu'elle lui avait fait cette confidence pour l'abaisser...

— Je suis sûre que la boutique sera une réussite, dit-elle. Je ferai tout ce qui sera en mon pouvoir, en tout cas.

— Nous verrons bien, ma chère ! Quand Jay sera là, il pourra vous donner de précieux conseils...

Lynn remarqua que c'était la deuxième fois qu'Alice Snow parlait de son frère de cette façon. Elle devait l'estimer.

Julian Snow entra à ce moment-là, souriant.

— Prête pour recevoir les clients ? lança-t-il. Trois groupes doivent arriver cet après-midi. Espérons que certains s'intéresseront à vos bijoux !

— Il vaudrait mieux, dit Alice Snow sur un ton sarcastique. Si mademoiselle Baylon veut payer son loyer pour l'emplacement... (Elle fit un geste impatient de sa longue main.) Avec l'arrivée des clients, nous avons beaucoup à faire, Julian ! Nous ne pouvons être tous aussi indolents que l'est Shelley. Celui-là ! Pourquoi le garder ?...

— Parce qu'il travaille bien et régulière-
ment, répondit son mari, son regard reflétant sa
colère. Il fait les choses comme elles doivent être
faites : avec soin et efficacité. Il n'est pas pares-
seux mais méticuleux !

Alice Snow eut de nouveau ce mouvement
d'épaules si expressif...

Elle fit demi-tour et s'éloigna.

Julian Snow sourit. Il n'était plus en colère.

— Ne vous laissez pas impressionner par
madame Snow, Lynn. Elle est très efficace et elle
attend des autres qu'ils le soient... Laissez les
choses suivre leur cours et votre boutique
« marchera » !

Quand Julian Snow s'en fut allé à son tour,
Lynn finit de disposer les bijoux.

Elle regrettait d'être si seule. Elle n'avait
personne sur qui elle aurait pu s'appuyer...

L'année précédente, il y avait eu Andy
Miller...

Grand, blond, les yeux bleus, timide, il avait
réparé sa voiture dans la ville voisine, à Thockton. Puis il avait trouvé le courage de l'inviter et
elle avait répondu favorablement, parce qu'elle
avait apppécié son calme, sa sagesse. Ils
avaient pris l'habitude de sortir ensemble et elle
avait fini par s'habituer à sa présence. Il s'était
fait plus pressant une nuit où ils étaient sortis
de Thockton. Ils étaient sur la route qui longeait

la rivière. Andy Miller avait rangé la voiture. Il l'avait prise dans ses bras et avait doucement posé ses lèvres sur les siennes.

« Je t'aime, Lynn ! avait-il soufflé. Je veux que tu sois ma femme... »

Mais dans le cœur de la jeune femme il n'y avait pas d'amour pour Andy Miller mais de la tendresse et elle le lui avait dit.

« Je peux t'amener à m'aimer ! » avait-il dit.

Elle avait secoué la tête.

« Je me connais trop bien », avait-elle répondu en regardant son visage douloureux.

Un mois plus tard, Andy Miller avait quitté Thockton pour Cleve.

Il lui avait manqué, comme un frère lui aurait manqué.

Lynn décida de se rendre au bord du lac pour se changer les idées.

Lorsqu'elle y arriva, l'eau était satinée, parsemée de taches de soleil. Les appontements s'étiraient comme de longues ombres noires et des bateaux oscillaient doucement.

Le grand homme brun tirant un des bateaux avec une longue corde devait être Shelley.

Lynn s'installa sur une chaise longue. Elle prit l'un des sandwichs qu'elle avait apportés, y mordit.

Cette beauté qui était devant elle lui donnait un courage nouveau.

De hauts peupliers argentés bordaient le lac. Un peu plus loin se trouvaient des pins. « Il faudra que je mette ces deux couleurs ensemble, se dit Lynn. L'argent et le vert... »

Elle n'avait pas entendu s'approcher Shelley Grayle. Comme un chat, il s'était glissé à côté d'elle et elle sursauta.

— Vous étiez complètement perdue dans vos pensées ! dit-il en s'asseyant sur ses talons.

— Je pensais à mon commerce, répondit-elle en souriant. Si je vends tout, il faudra que je me remette au travail.

— Pourquoi vous faire déjà du souci ? Le temps résout tout.

Elle lui tendit un sandwich et il le prit.

— Merci, mademoiselle Baylon ! J'aurai pu retourner à la cabane qui me sert de maison, derrière le hangar à outils, pour y préparer quelque chose, mais il m'est si agréable d'être auprès de vous...

Lynn ignora le compliment.

— Qui est Jay ? dit-elle. Madame Snow semble penser qu'il pourra me donner de bons conseils pour la boutique...

— Son jeune frère. Il est là chaque été. Il semble avoir une grande énergie, comme la reine elle-même. Il courtise les célibataires jolies, s'occupe des distractions. Généralement il exaspère tout le monde. C'est un type assez beau et très ouvert. Faites attention à vous quand il sera là ! Il essaiera de vous mener en bateau par une nuit de clair de lune !

— Mais, vous, n'avez-vous pas d'amie, Shelley ?

Shelley fronça les sourcils.

— Non !

Il sembla à Lynn qu'il y avait de la souffrance derrière l'insouciance qu'affichait Shelley.

Celui-ci se releva d'un bond.

— Je dois aller travailler ! Des clients sont annoncés pour cet après-midi. En général, les clients louent des bateaux dans la seconde de leur arrivée.

Deux voitures s'arrêtèrent devant l'hôtel à 15 heures. De derrière son comptoir, Lynn vit Shelley aider à décharger les bagages.

Ensuite, l'entrée devint une véritable ruche.

Julian Snow remplit les fiches des premiers arrivants, une femme petite et un homme grand ; Alice s'occupa de l'autre groupe, quatre adultes et trois enfants.

La petite femme se précipita vers le comptoir.

— Je n'ai jamais pu résister à une boutique de souvenirs ! dit-elle. Voyons ce que vous avez...

Elle passa rapidement en revue les bijoux et s'arrêta finalement sur une broche.

— J'aime ce bleu foncé si profond, dit-elle. Combien coûte cela ?

— C'est la couleur du ciel à minuit, indiqua Lynn. Le prix de cette broche est de cinq dollars, madame...

— Je la prends ! lança la femme avec enthousiasme.

— Chaque bijou est une œuvre originale, madame. J'ai essayé de rendre les vraies couleurs de la nature.

— Comme vous êtes douée, ma chère ! s'écria la femme. (Elle tendit un billet à Lynn et celle-ci le prit.) Je reviendrai vous voir quand nous serons installés...

Ainsi, la première vente était faite !

Lynn se détendit. Si elle pouvait continuer ainsi...

La seconde femme, une personne d'un volume imposant, s'approcha.

— Qu'avons-nous ici ? lança-t-elle.

Elle examina bracelets, colliers et boucles d'oreilles, n'hésitant pas à les déplacer.

— C'est une production originale, madame...

— Ah oui ? Les prix vont avec cette « originalité », je suppose... Je ne suis pas intéressée, mademoiselle. J'ai suffisamment de bijoux.

Le poussah retourna à son époux, un homme

grand à la mine triste, et Lynn remit les choses en ordre.

Tout de même, ce n'était pas si mal ! Déjà deux personnes avaient regardé ses œuvres, une broche avait été vendue...

— Comment vont les affaires ? demanda un peu plus tard Shelley Grayle à Lynn.

Elle lui rapporta ce qui s'était passé et il eut un sourire.

— Parfait ! Dans trois semaines, vous n'aurez plus le temps de bavarder avec moi parce que vous aurez trop à faire. Avant de rentrer, passez donc par ma cabane ! Je vous montrerai mes toiles...

— Je n'y manquerai pas, dit Lynn en souriant.

Il partit au moment où Alice Snow arrivait.

Pour une fois, il y avait un léger sourire sur les lèvres de celle-ci.

— J'ai vu que vous aviez vendu quelque chose à une de mes clientes, dit-elle. C'est de bon augure ! Evidemment, il faudrait beaucoup d'autres ventes pour que la journée soit bonne. Quand Jay sera là, la semaine prochaine, il vous aidera à présenter les choses de façon plus attirante.

Elle partit aussi soudainement qu'elle était venue.

Lynn en avait assez d'entendre parler de ce

Jay ! Elle avait bien l'intention de ne rien demander à celui-ci...

A 18 heures, elle ferma boutique. Elle prit la
direction du hangar. Juste derrière se trouvait la
petite maison. La porte était ouverte et Shelley
Grayle était là.

— Bienvenue dans mon humble foyer ! dit-il.
Je pensais aller faire un plongeon avant de
dîner... (Cela était évident : il ne portait qu'un
slip de bain.) Je commençais à désespérer ! Je
pensais que vous fermiez à 17 heures.

Elle entra. La pièce était aussi nette que
l'aurait été une cabine de bateau.

— Asseyez-vous donc !

Shelley Grayle alla jusqu'à l'étagère sur
laquelle se trouvaient deux grandes toiles.

Il les prit, revint, lui en tendit une.

— Je ne saurai jamais pourquoi je les ai gar-
dées !

Lynn avait eu le souffle coupé : Shelley
Grayle avait su parfaitement reproduire la
beauté du lac et les couleurs étaient les plus
vraies qu'elle eût jamais vues.

Shelley Grayle haussa les épaules.

— Il y a longtemps, j'ai été client du *Blue
Harbor*, aussi incroyable que ça paraisse. J'avais
bien vendu et j'étais « en fonds »...

— Et maintenant vous êtes...

Lynn s'en voulut d'avoir prononcé ces mots...

— Et maintenant... je suis l'homme à tout faire ! Amusant, non ?

Shelley Grayle tendit le second tableau.

Des arbres, mais aussi une silhouette féminine...

Cette fois encore Lynn eut le souffle coupé.

— Elles sont excellentes ! dit-elle enfin. Qui est la femme ? Alice Snow ?

— Non ! dit-il sur un ton lugubre. C'est quelqu'un que j'ai connu... Celle-là, je sais pourquoi je l'ai gardée, en réalité : pour me souvenir de quelque chose qui m'est arrivé...

Une idée était venue à Lynn, mais, dans l'état d'esprit où il était... « Qui ne risque rien n'a rien », disait le proverbe...

— Shelley, pourquoi ne pas les exposer dans la boutique ?

Shelley Grayle secoua la tête.

— Non ! Comme je ne peindrai plus...

— S'il vous plaît... (Quelque chose poussait Lynn à insister...) Laissez-moi simplement les exposer ! Je vous en prie...

Encore une fois Shelley Grayle haussa les épaules.

— Prenez celle du lac ! L'autre, je veux la garder...

— Si je la vends, Shelley, vous pourrez bien vous y remettre ?

— Elle ne se vendra pas ! répliqua-t-il avec

un rictus. Même si elle se vendait, je ne touche-
rais pas à des pinceaux ! J'ai tourné cette page...
La situation d'homme à tout faire me satisfait...

Quelques minutes plus tard, Lynn était au
volant de sa petite voiture.

Il était évident que Shelley Grayle avait
connu plus qu'une déception... Si la vue du lac
était vendue, peut-être se déciderait-il à peindre
de nouveau. Alors il reprendrait goût à la vie.

CHAPITRE II

Jay Crane gravit rapidement la colline dans sa voiture de sport puis redescendit. Dans quelques heures il serait à *Blue Harbor*. Alice, qu'il surnommait Sis, l'accueillerait à bras ouverts et Julian avec cordialité. Il n'avait jamais été très bien vu de Julian, mais seul lui importait le comportement de Sis qui menait son mari à sa guise.

L'air de mai était doux dans la campagne où il roulait. La nature avait fait toilette pour l'occasion et s'était parée de verts tendres et de couleurs éclatantes.

Il serait bien à *Blue Harbor*, un endroit fort agréable. A Thockton, il n'y avait que de grands immeubles d'un blanc aveuglant et des trottoirs brûlants.

En outre, il n'avait plus un sou vaillant. Mais ce n'était pas là un problème : il allait travailler pour Sis et elle veillerait à ce qu'il fût bien payé.

Il était triste d'avoir quitté Sue. Elle s'était

accrochée à lui, l'avait supplié de rester à Thockton. Mais Sis l'attendait et il avait doucement détaché les bras de Sue de son cou et lui avait dit qu'il devait partir.

Il se fit un petit sourire dans le rétroviseur... Après tout, il y aurait bien quelqu'un à *Blue Harbor* !

Il avait l'allure de Sis, les mêmes cheveux auburn et bouclés, les mêmes yeux d'un bleu profond et — il le savait par expérience — il était séduisant.

Il vit un restaurant et s'arrêta.

Il entra et demanda un sandwich et du café et se rengorgea sous le regard admiratif de la jeune serveuse.

Restauré, il reprit la route.

Quand Jay Crane arriva, *Blue Harbor* somnolait au soleil. Trois voitures étaient sur le parking réservé aux clients. Les affaires avaient donc repris, ce qui signifiait que Sis voudrait qu'il s'occupât de distraire les clients. Il repoussa une légère irritation : Mme X voudrait qu'il organisât une excursion, M. Y l'interrogerait sur les meilleurs endroits de pêche et il y aurait sans doute une Mlle Z qui désirerait qu'il fût son chevalier servant et qu'il l'accompagnât dans une boîte de nuit. Il s'acquitterait de sa tâche !

Il sortit de la voiture, retira sa valise du coffre et entra.

Il n'y avait là, derrière un comptoir, qu'une assez jolie brune...

Il haussa les sourcils. Il y avait du nouveau ! N'avait-on pas installé une boutique de souvenirs ?

Il se dirigea vers le comptoir et sourit à Lynn.

— Il y a eu du nouveau, ce dont on ne saurait se plaindre !

Elle eut un sourire timide, mais Jay Crane le trouva charmant.

— Monsieur et madame Snow m'ont autorisée à essayer de vendre mes bijoux ici. Nous espérons qu'ils auront du succès...

— Je suis Jay Crane, le frère vagabond de madame Snow ! dit le nouveau venu en tendant la main. Je travaille ici pendant la saison...

Jay Crane sentit les doigts souples de Lynn...

Il jeta un coup d'œil sur les objets exposés. « Si elle a fait ça elle-même, c'est qu'elle a du talent ! » pensa-t-il.

— Vous auriez dû mettre les bracelets au premier plan, mademoiselle ! C'est toujours sur eux que l'attention des femmes se porte d'abord... J'espère que vous ne m'en voulez pas.

Je connais tout ce qui touche la vente. C'est ce que dit Sis, en tout cas !

— Je vous remercie, dit Lynn en secouant la tête. Je m'appelle Lynn Baylon.

— Cela va être bien agréable de travailler avec vous, cet été, mademoiselle Baylon ! Nous allons beaucoup nous voir pendant les heures de travail... et même après.

Il pensa qu'elle avait vraiment rougi. Il estima qu'elle était douce et timide, comme Sue, et il appréciait la douceur et la timidité...

Alice Snow entra dans la pièce.

— Sis ! s'écria-t-il. Tout va bien, ton frère est là !

Elle se glissa entre ses bras et il déposa un baiser sur sa joue.

— Jay, cela faisait un certain temps que je t'attendais ! Où étais-tu ?

— En train de finir de régler quelques affaires à Thockton.

Ce n'était pas tout à fait faux, mais le véritable obstacle avait été l'acharnement de Sue...

— Je vais vider ma valise et « piquer une tête », dit-il. Ensuite seulement je t'obéirai au doigt et à l'œil !

Alice Snow fronça légèrement les sourcils.

— Je voudrais que tu aides un peu Lynn, Jay. Il faut qu'elle vende...

— Je m'en suis déjà un peu occupé ! répondit

Jay Crane en souriant. Ne t'inquiète pas. Avec moi comme « promoteur », elle va faire fortune.

Il fut ravi de voir Lynn rougir encore une fois. C'était une personne charmante, vraiment séduisante...

— A bientôt, toutes les deux ! dit-il en soulevant sa valise.

Alice Snow veillait toujours à ce que son frère eût l'une des meilleures chambres de *Blue Harbor.* L'ameublement était plus que suffisant, avec un grand lit, un divan, une chaise confortable et une commode. Il y avait une grande salle de bains attenante.

Jay Crane poussa un soupir de soulagement. C'était beaucoup mieux que ce qu'il avait eu à Thockton !

Il vida rapidement sa valise, trouva son slip de bain.

Un moment après il se dirigeait vers le lac.

Le grand homme qui s'affairait là-bas devait être Shelley. Shelley était vraiment bizarre : il était satisfait d'être simplement homme à tout faire et n'aspirait à rien d'autre. Débonnaire, détendu, il resterait probablement le maître Jacques de *Blue Harbor* !

Lui, Jay, voulait tout ce qu'il y avait de mieux et, avec un peu d'intelligence, il l'obtiendrait.

Pour lui, il n'était pas question de loger dans une misérable maison, d'avoir les tâches les plus pénibles. Sans compter qu'il n'aimait pas porter des vêtements de travail, sales par définition. Sa mère disait toujours : « propre comme un chat ». En réalité, ce n'était pas sa mère qui l'avait élevé ; c'était Sis qui était aussi toujours impeccable. Elle avait la même méticulosité et le même appétit pour les bonnes choses de la vie. Il lui était reconnaissant de son aide...

— Hello, Shell ! lança-t-il. Le mauvais garçon est de retour !

— C'est ce que je vois, répondit Shelley Grayle.

Il avait eu un sourire paisible, mais son regard était aigu.

Il se remit à son travail.

Jay avança jusqu'au bord de l'eau.

Il se raidit et plongea, à la perfection.

Il nagea un moment, puis il regagna le bord avec des mouvements puissants et déliés. Il sortit de l'eau et s'étendit sous le chaud soleil. Ah ! si Sue avait pu être là !

Un moment après, il grimpa au plongeoir et s'élança.

Le soleil descendait à présent et saupoudrait le lac d'une lumière dorée. Il était temps de rentrer et il devait encore présenter ses respects à

Julian. Il pourrait aussi échanger quelques mots avec Lynn Baylon...

Shelley était encore là.

— C'était bon, dit-il en secouant ses cheveux mouillés. Cet endroit m'a vraiment manqué. Et j'ai vu qu'on l'a un peu rénové en faisant des améliorations dans l'entrée.

— Oui ! répondit calmement Shelley. La boutique...

— Mademoiselle Baylon est très attirante... Je l'ai déjà un peu aidée... Pendant la saison je l'aiderai...

— Elle se débrouillera très bien toute seule ! dit Shelley dont le visage s'était fermé.

— Je cherche seulement à me rendre utile ! répliqua Jay Crane avec un léger haussement d'épaules.

— Laisse-la faire ce qu'elle veut !

Jay Crane se dit que ces paroles avaient valeur d'avertissement...

Etait-il possible que Shelley s'intéressât à Lynn Baylon ? Il n'avait jamais courtisé quelqu'un devant lui, lui semblait-il. Il fouilla dans sa mémoire et se souvint qu'un jour Julian avait dit que Shelley avait connu un désespoir d'amour. Celui-ci l'avait véritablement « détruit », le faisant ce qu'il était à *Blue Harbor*...

En s'en retournant, Jay Crane réfléchit. Il

était peu probable que ce vieux Shell fût attiré par Lynn Baylon, mais ce n'était pas impossible.

Il prit une douche, se vêtit d'un pantalon marron et d'une chemise bleue, puis redescendit.

Julian était dans le bureau, penché sur des papiers.

— Quelle joie de te revoir ! dit Jay d'une voix joyeuse.

— Ravi que tu sois parmi nous de nouveau ! dit Julian en l'étreignant. Nous avons besoin d'un peu de jeunesse par ici.

— J'ai vu que vous aviez mademoiselle Baylon, répliqua Jay avec un petit sourire.

— Surtout, ne lui fais pas perdre son temps ! dit Julian en relevant brusquement la tête. Je veux que cette boutique marche.

Là encore, Jay eut l'impression de recevoir un avertissement...

Au bout d'un moment, il quitta le bureau.

Lynn était justement en train de fermer la boutique.

Elle avait l'air excitée.

— Comment va ? demanda-t-il.

— Je viens de faire une vente de quinze dollars ! s'écria-t-elle. Je suis vraiment enchantée ! C'était un bijou que vous aviez déplacé...

— Je ne vous rappellerai pas que je vous l'avais dit...

Jay laissa son regard glisser de façon critique sur la devanture.

Sur une étagère, elle avait placé un tableau, une huile représentant assez bien le lac. Ainsi, elle peignait également. Une fille intelligente !

— Retirez ce tableau de l'étagère et mettez-le sur celle qui est près de la fenêtre. Laissez la lumière jouer dessus, faire ressortir les couleurs. Il n'est pas en valeur là où il est. Laissez-moi faire !

Jay prit le tableau des mains de lynn et leurs doigts se touchèrent...

Il plaça le tableau. Les derniers rayons du soleil accentuèrent les ombres et les lumières.

— Voilà ! dit-il. Maintenant, il est « visible » et il est probable que quelqu'un va l'acquérir. Lynn, vous logez à *Blue Harbor* ?

Il avait posé la question sur un ton qui parut équivoque à Lynn.

— Non. J'habite à dix kilomètres d'ici seulement.

— J'ai pensé que nous pourrions dîner ensemble dans la semaine... Qu'en pensez-vous ? Il y a un endroit très bien juste à côté d'ici, le *Starlight Lodge*, où la chère est excellente. Nous devrions apprendre à nous connaître...

Lynn rougit encore. Lisait-il ses pensées ?

« Dois-je y aller ou pas ? Après tout, il m'a aidée... »

Après un moment d'hésitation, elle répondit :

— Ce serait avec joie...

— Parfait. Nous mettrons ça au point un peu plus tard.

Après qu'elle s'en fut allée, Jay se dirigea vers la salle à manger. Au *Starlight Lodge* les mets étaient excellents, en effet, mais ils étaient onéreux. Il pourrait toujours faire appel à Sis ! La demoiselle était si charmante...

Lynn était étonnée : cinq jours avaient déjà passé depuis qu'elle avait ouvert boutique, cinq jours durant lesquels elle avait été extrêmement active... Elle avait vendu les bracelets et les boucles d'oreilles que Jay avait placés si judicieusement. Chaque soir, après avoir dîné rapidement, elle avait travaillé sur son vieil établi. Il fallait bien qu'elle remplaçât les bijoux vendus ! Un détail faisait une œuvre originale.

Elle se dit qu'elle aimait bien Jay. Il était d'un commerce agréable et, Dieu savait pourquoi, elle oubliait sa timidité quand il était là. C'était peut-être parce qu'il était loquace qu'elle pouvait se contenter d'écouter !

Un soir, il lui avait demandé juste au moment

où elle fermait la boutique, d'aller faire un tour
en bateau avec lui.

« Allons faire le tour du lac ! avait-il dit. Cela
vous détendra... J'ai moi aussi besoin d'un peu
de détente. Les Gunderson m'ont reproché de ne
pas assez m'occuper de leur petite fille... Après
deux sets de tennis avec cette enfant, j'étais
épuisé ! »

Il lui avait pris la main alors qu'ils se diri-
geaient vers le lac et elle avait apprécié cela...

Il l'avait fait s'asseoir sur deux coussins
superposés dans l'un des petits bateaux et s'était
assis en face d'elle. Il avait pris les rames et fait
avancer le canot de ses bras puissants. Le lac
semblait du verre bleu dans les rayons inclinés
du soleil, avec des touches d'or çà et là. La ligne
du rivage se réfléchissait parfaitement dans
l'eau. Les minces peupliers se dessinaient,
blancs et purs, sur le fond sombre de la forêt.

« Un véritable tableau ! avait dit Jay. Quelque chose que vous devriez faire... On vous a fait
des offres pour l'autre ? »

« Madame Nelson l'aime beaucoup ! avait-
elle répondu. Je pense qu'elle l'achètera... »

Comme Shelley le lui avait demandé, elle
n'avait révélé à personne l'identité du peintre.
Pendant un instant, elle était restée perdue dans
ses pensées. Si le tableau se vendait, peut-être
réussirait-elle à convaincre Shelley d'accrocher

l'autre dans la boutique ? ou, mieux encore, de recommencer à peindre ?

Un poisson avait fait un bond et Jay avait ri en la voyant sursauter.

« La tête dans les nuages ! s'était-il écrié. Je dois « baisser »... Généralement, les femmes me consacrent toute leur attention ! »

« Les affaires ! avait-elle répliqué en souriant. Je pensais à la boutique... »

Il s'était produit un événement mémorable lorsqu'ils étaient revenus...

Jay lui tenait les mains pour l'aider à descendre du bateau et, alors qu'elle ne s'y attendait pas du tout, il avait posé, juste une seconde, ses lèvres sur les siennes...

Au plus profond d'elle-même, il y avait eu un écho. Ce qu'elle avait ressenti était totalement différent de ce qu'elle avait connu au contact des lèvres d'Andy...

Lorsqu'elle l'avait regardé, il avait un visage presque sévère.

« Je ne suis pas désolé ! avait-il dit. J'espère que vous ne l'êtes pas non plus. C'était une impulsion à laquelle je ne pouvais résister... »

Plus tard, en rentrant chez elle, elle avait essayé d'analyser ses sentiments. Elle aimait beaucoup Jay, s'était-elle dit. S'il l'invitait de nouveau à dîner, elle n'hésiterait pas !

Bizarrement, ses pensées étaient revenues à

Shelley. Avec lui, comme avec Jay, elle pouvait être elle-même. Si seulement Shelley avait la vitalité de Jay, sa sociabilité ! Mais Shelley préférait se tenir à l'écart...

Lynn était en train d'épousseter les étagères de la boutique ce matin-là.

Les nouveaux bijoux étincelaient de beauté...

« Madame Nelson va-t-elle se décider à acheter la toile de Shelley ? » se demanda-t-elle.

A cet instant Mme Nelson apparut.

Elle se dirigea tout droit vers la boutique.

Son petit visage d'oiseau était animé par l'excitation.

— Mademoiselle Baylon, je veux le tableau, dit-elle. Je n'ai pas dormi de la nuit à force d'y penser...

Elle fouilla dans son porte-monnaie et en sortit deux billets de dix dollars et un de cinq qu'elle déposa sur le comptoir.

— Chez moi, j'ai exactement l'emplacement qui convient, dit-elle.

Les doigts de Lynn tremblaient tandis qu'elle emballait le tableau...

La première vente de Shelley ! Elle était impatiente de lui annoncer la nouvelle.

A midi, elle prit ses sandwichs et sa bouteille et se dirigea vers le hangar.

Un arôme de café lui parvint lorsqu'elle fut près de chez Shelley.

La porte était ouverte.

— Bienvenue ! dit Shelley quand il l'eut vue. Le café est justement prêt...

Elle entra avec empressement et s'assit à la petite table.

— J'apporte une excellente nouvelle ! lança-t-elle. (Elle déposa les billets sur la table en souriant.) Madame Nelson a acheté le tableau, et elle l'a payé vingt-cinq dollars. Shelley, vous comprenez ce que cela veut dire, n'est-ce pas ? Avec la boutique, on...

Shelley ne la laissa pas finir sa phrase...

— C'était votre idée ! s'écria-t-il. Je ne me suis pas engagé à peindre autre chose !

— Mais, Shelley, la chance...

— Redescendez sur terre ! (Shelley tapota la main de Lynn.) Vous parlez à un homme à tout faire, vous l'avez oublié ! Ma vie d'artiste fait partie du passé.

Lynn fut déçue, mais elle pensa qu'il était de son devoir d'insister...

— S'il vous plaît, laissez-moi exposer l'autre ! dit-elle d'une voix implorante.

Shelley fronça les sourcils, son regard devint sombre.

— Pas celui-là !

La déconvenue de Lynn était-elle si visible ? Le regard de Shelley se radoucit...

— Un jour, si j'en ai le temps, je ferai un tableau que vous pourrez exposer dans votre petite boutique... Mais, ne vous tracassez pas pour moi, Lynn ! Je suis heureux comme je suis. Pourquoi voudrais-je changer ?

Lynn pensa que Shelley n'était pas sincère...

Ils déjeunèrent ensemble, partageant leurs sandwichs, bavardant en évitant tout ce qui aurait pu les ramener à l'art qui avait été celui de Shelley.

Shelley ne fit qu'un seul commentaire. Il avait ramassé les billets et les avait pliés soigneusement...

— Merci, dit-il. C'est plus que ne valait cette toile !

De retour à la boutique, Lynn avait l'esprit agité. Il devait bien y avoir un moyen de redonner à Shelley l'envie de peindre ! Elle réfléchirait à la question...

Jay arriva alors, lui fit un petit sourire.

— Cette soirée peut être à nous, dit-il. Nous pourrions aller au *Starlight Lodge* ? Puis-je passer vous prendre chez vous à 19 heures ? Cela vous donnerait le temps de faire ce que font sans doute toutes les femmes avant un rendez-vous galant. Parce que ce serait un rendez-vous galant...

— Et je serai prête, répondit Lynn, en souriant car elle savait que Jay aimait à plaisanter.

Durant tout l'après-midi, elle pensa avec joie à la soirée qui s'annonçait. Il lui fallait bien cela, car la vente des bijoux était maigre. Il était vrai que la saison ne faisait que commencer. Elle ne devait pas s'attendre à des miracles sitôt la boutique ouverte. Les clients arrivaient de plus en plus nombreux, mais peu avaient la curiosité d'y venir voir.

A 19 heures, Lynn était prête. Elle portait une souple robe crème qui faisait ressortir les reflets de ses cheveux sombres ; des boucles d'oreilles et un bracelet vert — qu'elle avait faits elle-même, bien entendu — et des sandales vertes allaient heureusement avec.

Lorsqu'il l'eut vue, Jay siffla d'admiration.

— On dirait une nymphe ! dit-il. Je suis content d'être votre cavalier.

Le *Starlight Lodge* était un endroit à la mode. C'était un bâtiment agréable situé un peu à l'écart de la route, au bout d'une allée.

Plusieurs voitures se trouvaient déjà sur l'immense parking. Jay rangea la sienne.

— Vous allez aimer le *Starlight Lodge*, dit-il. C'est très bien... Mais savez-vous, ma chère

Lynn, que tout le monde n'apprécie pas que nous sortions ensemble ?

Lynn sourcilla.

— Qui n'est pas content ?

— Pour être franc, je dois révéler que Sis n'aime pas beaucoup que les employés se lient d'amitié. C'est ce qu'elle m'a expliqué ce soir encore, quand je lui ai appris que nous sortions ensemble. Elle veut que je m'empresse auprès des riches clientes. Mais, pour l'instant, aucune de celles-là n'a ton charme et ta beauté, ma jolie !

Jay était devenu soudain bien familier ! Après un instant de réflexion, Lynn décida de « jouer le jeu ».

Ils entrèrent enfin.

De petites tables recouvertes de nappes à carreaux blancs et rouges étaient disséminées dans la grande pièce et, dans un coin, sous un dais, un orchestre jouait.

— C'est ravissant ! s'écria gaiement Lynn. Je n'étais jamais venue...

— Cette fois sera donc la première d'une longue série !

Quand Jay l'invita à danser, Lynn accepta avec joie, et elle apprécia la caresse de la joue de son cavalier sur ses cheveux. Décidément, cet homme l'avait conquise ! Pourtant, une petite voix lui soufflait qu'elle ne devait pas s'éprendre de lui...

Ils dînèrent excellemment.

Ce fut au dessert que Jay attira l'attention de la jeune femme sur Shelley.

— Je vois que nous ne sommes pas les seuls employés de *Blue Harbor*...

Lynn regarda dans la direction qu'il indiquait.

Shelley était assis à une table, seul. Il lui adressa un petit signe lorsque leurs regards se rencontrèrent. Il était très différent du Shelley qu'elle connaissait... Il portait un complet gris, une chemise blanche et une cravate noire. De plus, il était coiffé ! Sur son visage flottait une expression d'irritation.

— Comme ça, ce vieux Shell est de sortie lui aussi, dit Jay. Je ne pensais pas qu'il fréquentait des endroits pareils ! Bien entendu, il en a parfaitement le droit ! Ce gars-là est vraiment un solitaire...

Ils s'arrêtèrent à la table de Shelley. Celui-ci se leva d'un mouvement félin, mais son sourire était contraint.

— Le jour de sortie des employés ! dit Jay, sur un ton moqueur.

Shelley regardait Lynn...

— C'est ce que je vois, dit-il simplement. Je

suis venu parce que je ne pouvais plus supporter ma cuisine...

— Amuse-toi bien ! dit Jay.

Il prit Lynn par le bras et l'entraîna.

La nuit était d'une beauté douce et d'un bleu profond. Les étoiles brillaient.

Lynn pensa que le croissant de lune ferait un excellent modèle.

— Par une si belle nuit, on doit aller se promener le long de la rivière, souffla Jay.

Ils roulèrent le long de la rivière sur laquelle les arbres se penchaient. Les phares éclairèrent un daim, un hérisson...

Jay arrêta la voiture.

— Il faut se laisser envelopper par cette beauté ! dit-il en posant son bras sur le dossier du siège.

A présent, Lynn était inquiète...

Mais Jay alluma une cigarette et la fuma lentement. Puis, il jeta au loin le mégot et se tourna vers sa compagne.

— La nuit et toi, vous êtes vraiment trop belles, Lynn...

Du doigt il souleva le menton de Lynn, puis ses lèvres se posèrent sur les siennes.

Lynn se laissa aller...

— J'avais la ferme intention de rester sage, mais la tentation a été trop forte...

Jay remit le moteur en marche.

— Retournons à *Blue Harbor* ! dit-il. Là-bas, il n'y a pas la moindre tentation ! Mais, je dois te raccompagner... ‹

Quand ils furent devant chez Lynn, il lui prit la main.

— Merci pour cette excellente soirée ! dit-il. A demain, Lynn !

CHAPITRE III

Ce jour-là, la pluie faisait comme un mince voile entre le ciel et la terre. En préparant son petit déjeuner, Shelley se disait que ce temps était fait pour décourager les gens de venir à *Blue Harbor*. Les jours de mauvais temps, les clients tournaient en rond, ne sachant que faire, et ils rendaient la vie impossible aux employés. Il sourit... Pour une fois, ce Jay à la langue de velours serait fort occupé ! Il devrait trouver des distractions pour les grands et les petits !

Shelley leva les yeux au ciel. Les enfants... Ils allaient courir partout, comme des chiots, et c'en serait fait du calme !

La seule qui allait tirer profit du temps serait Lynn. Reclus, les clients seraient enclins à examiner sa production... Mais, combien achèteraient-ils ?

Shelley remplit sa tasse de café et s'assit à table, une cigarette au bout des doigts. Lui-

même allait travailler dans le hangar à bateaux.
Il y avait deux canots à réparer et beaucoup
d'épissures à faire.

Il repensa à la soirée de la veille...

Il s'était douché et soigneusement habillé
avant de partir pour le *Starlight Lodge*. Il avait
eu envie d'y aller sans trop savoir pourquoi.
Peut-être était-ce pour se souvenir ?

A l'époque, il était un jeune artiste prospère,
respecté et même adulé par beaucoup. S'il était
heureux alors, c'était à cause de Gloria... Dans
sa folie, il avait pensé qu'elle l'aimait comme il
l'aimait...

Il reposa sa tasse d'une main tremblante. Ces
vieux souvenirs ne cesseraient-ils de le tortu-
rer ?

Ses pensées le ramenèrent au jour où il
l'avait rencontrée.

C'était à l'occasion du vernissage d'une expo-
sition, à la galerie Nichols, et il se promenait,
appréciant les commentaires qu'on faisait çà et
là, quand Gloria Hale était entrée. Petite, une
chevelure d'or, belle de traits et de silhouette,
elle avait immédiatement attiré son attention et
il était allé vers elle pour répondre éventuellement à ses questions, la guider si elle le
désirait...

Peut-être s'était-il épris d'elle ce jour-
là ?...

En tout cas, c'est ce qu'il lui semblait en y repensant.

Bien entendu, il l'avait revue. Et bientôt il avait eu la conviction qu'il était follement amoureux d'elle.

De son côté, elle s'était éprise, c'est du moins ce qu'il s'était dit.

Elle était fière d'être vue à côté de lui et déployait une grande activité pour qu'ils fussent invités à des vernissages, à des réceptions. C'est comme si elle l'avait montré partout, un peu comme son bien, sa propriété. Il était au sommet de sa popularité : son travail retenait l'attention et il produisait beaucoup.

Un après-midi, il lui avait passé une bague au doigt, quand, après une promenade dans la campagne, ils s'étaient arrêtés dans une vieille auberge qui avait été le cadre d'événements historiques. Elle ne lui avait jamais paru plus désirable et il l'avait prise dans ses bras.

« Je ne veux que toi ! avait-il dit. Toute ma vie, je ne voudrai que toi ! »

Elle s'était écartée pour le regarder bien en face.

« Tu chériras aussi ton travail ! avait-elle répliqué. C'est ton travail qui fait de toi l'homme attachant que tu es, Shelley ! »

Sur le moment, il n'avait pas très bien com-

pris. Il avait oublié ces paroles parce qu'il l'ado-
rait.

« Tu mènes une vie si passionnante, Shelley !
Je veux en faire partie. La foule, les soirées... »

A de nombreuses reprises, il l'avait suppliée
de fixer une date pour leur mariage, mais elle
avait toujours éludé la question.

« Nous avons bien le temps, Shelley ! disait-
elle chaque fois. Profitons de l'instant ! »

Il avait eu confiance. C'était là son erreur.
Pourtant, il aurait pu se douter que Gloria ne
l'aimait pas de la façon qu'il croyait...

Lorsqu'ils étaient dans son atelier, elle ne
tenait pas en place ; elle allait et venait, soulevait
un tableau, le reposait, refaisait son maquillage
en se regardant dans la glace. Elle était malheu-
reuse quand il n'y avait pas de laudateurs
auprès d'eux...

Elle le lui avait dit une fois : « Je m'ennuie
quand il n'y a personne avec nous, Shelley ! »

Autre chose aurait pu l'alerter... Romain, le
joueur de polo, avait visité l'atelier un après-
midi, en compagnie d'amis, et on s'était intéressé
à lui, en oubliant presque qu'il était le maître
des lieux.

Grand, beau, plein de personnalité, il avait
parcouru l'atelier. Gloria, qui avait pour lui un
regard enamouré, avait joué les guides.

Shelley s'était approché d'elle quand le

groupe avait eu terminé la visite, mais elle l'avait repoussé.

« Tout le monde va chez Paul Romain ! avait-elle dit. Nous aussi... »

« Je dois travailler, ma chérie ! » avait-il répliqué en secouant la tête.

« Cela t'ennuirait que j'y aille ? (Gloria avait haussé les épaules.) Je m'ennuie dans cet atelier quand nous sommes seuls... Pendant que tu travailles, je n'ai absolument rien à faire ! »

Elle y était allée et même alors la petit voix intérieure qui lui soufflait le doute ne s'était pas fait entendre longtemps.

Gloria ne fut plus là que rarement, car elle suivait Paul Romain et ses courtisans...

Eprouvé, Shelley ne peignit plus qu'irrégulièrement.

Quand il s'était décidé à parler de façon pressante de leur mariage, elle avait été abrupte :

« Ça ne marcherait pas, maintenant ! avait-elle dit. Attendons l'an prochain, Shelley ! »

D'un mouvement brusque elle avait fait glisser la bague de son doigt et la lui avait tendue.

« Reprenons notre liberté pour un moment ! avait-elle ajouté. Bien entendu, nous continuerons à nous voir ! Mais... »

Il avait regardé la bague.

Sans Gloria, sa vie ne serait rien, son travail ne servirait plus à rien...

Son mal avait empiré. Incapable de travailler, il avait erré dans son atelier à longueur de journée...

Après des mois, il avait fait comme si tout lui était égal et avait enfoui au plus profond de lui-même le tourment qui l'avait tant ému. Pourtant, il avait gardé le tableau sur lequel figurait Gloria. Ce tableau était le reflet d'un moment de sa vie ! Deux fois il l'avait décroché avec l'intention de le lacérer, mais il s'était ravisé au dernier moment.

Il vida sa tasse de café.

Certes, il ne pouvait penser à Gloria sans souffrir, mais la douleur était maintenant moins vive.

Cela faisait trois ans qu'il travaillait à *Blue Harbor*. Ces années avaient été très longues, difficiles, mais il n'avait pas réussi à oublier.

Aujourd'hui, rien n'avait d'importance que les tâches dont il était chargé.

Il pensa à Lynn. Sérieuse, aimant son travail, elle était différente de Gloria... Mais, les apparences n'étaient-elles pas trompeuses ? Il se dit qu'il n'était pas objectif. Lynn était différente de Gloria, il l'avait vu dès leur première rencontre ! Il avait été triste de la voir dîner en compagnie de Jay, la veille, au *Starlight Lodge*... Jay était aussi léger que l'avait été Gloria ! Si quelqu'un de plus intéressant se présentait... Celui-là, il

l'avait vu agir ! Et Alice Snow ne voyait rien à
redire à cela !

Shelley revêtit un imperméable, sortit et prit
le chemin du hangar à bateaux.

Pendant une heure, il travailla dur, car il
était extrêmement consciencieux. Puis, il se mit
à des travaux plus faciles.

Le temps passa si rapidement qu'à midi il
n'en avait pas terminé.

Au moment où il laissait l'établi, la porte
s'ouvrit.

Lynn entra.

La pluie avait fait boucler ses cheveux noirs
et il prit plaisir à son sourire.

— J'ai pris tellement de plaisir à déjeuner en
votre compagnie que je voudrais recommencer,
dit-elle. Monsieur Snow m'a dit que vous étiez
ici.

— Vous avez un sandwich pour moi ?

— J'en ai même plusieurs... J'ai aussi pré-
paré plus de café.

— Alors, nous allons déjeuner ici !

Shelley déplaça un banc.

Ils disposèrent les sandwichs et le café au
milieu et ils s'assirent, chacun à une extrémité.

Shelley avait remarqué qu'elle avait les yeux
cernés. Ce vaurien de Jay l'avait-il obligée à se
coucher tard ?

— Comment « va » la boutique ? demanda-t-il. La journée devrait être bonne pour le commerce.

— Oh ! c'est vrai ! répondit Lynn avec ce sourire franc qui lui plaisait. Je n'ai pas arrêté de vendre. Ce soir, je vais avoir du travail !

— Vous vous êtes bien amusée, hier soir ? dit-il, poussé par un sentiment de curiosité malsaine.

— Beaucoup. Il m'est agréable de me trouver en la compagnie de Jay et le *Starlight Lodge* est un endroit ravissant.

— Lynn, ne prenez pas Jay trop au sérieux... C'est-à-dire que... Je veux dire...

Shelley resta un moment silencieux...

— Non, je ne vois pas ce que vous voulez dire, Shelley !

— Ne vous laissez pas prendre par ses manières ! Jay ressemble à une abeille... Il va de fleur en fleur... Sa sœur y trouve son compte...

Lynn était devenue écarlate.

— Ne vous inquiétez pas, Shelley ! Je ne suis pas une adolescente, vous savez...

Shelley haussa les épaules, comme s'il ne l'avait pas crue.

Elle décida de changer de sujet...

— Shelley, s'il vous plaît, faites un autre tableau ou laissez-moi prendre celui que vous avez !

Shelley avait sursauté.

— Non ! Je vous supplie de ne plus me parler de cela !

— Mais, vous aviez dit...

— Je sais. J'ai dit que je pourrais en faire un à votre intention un jour. Mais, « un jour », c'est très vague. Je ne peux vous promettre plus que cela, Lynn...

Elle lança, avec une petite lueur de colère dans ses jolis yeux gris :

— Shelley, vous êtes têtu comme une mule !

— Peut-être. Mais c'est comme ça, mon chaton.

Ce dernier mot lui avait échappé, mais, d'une certaine façon, il convenait très bien à Lynn. Avec ses cheveux noirs et bouclés, ses yeux gris, la façon dont elle se tenait sur le banc, elle ressemblait à un chaton.

— Essayez au moins d'y réfléchir, Shelley...

— D'accord, je vais y penser. Mais, ne me poussez pas !

Il avait parlé sur un ton de réprobation.

Ils restèrent assis et Shelley se dit qu'elle paraissait satisfaite.

La porte s'ouvrit et Jay apparut.

Il eut une expression de contrariété mais se reprit...

— Lynn, ta boutique te réclame ! Que peux-tu bien faire dans ce hangar ?

Bien entendu, si elle avait été seule, il aurait trouvé la chose moins étonnante...

— C'est son heure de pause, tu sembles l'avoir oublié, Jay ! dit doucement Shelley.

— Il y a la salle à manger ou le salon des employés, rétorqua Jay.

Shelley se leva lentement...

— Pourquoi ne dis-tu pas ce que tu penses ? demanda-t-il. Tu trouves qu'elle perd son temps en étant avec moi, n'est-ce pas ?

— Tu sais ce qu'Alice pense quand les employés passent trop de temps ensemble, dit sèchement Jay.

— Ce qui s'applique aussi au fait que tu aies emmené Lynn au *Starlight Lodge* hier soir ?

— Cela ne te regarde pas ! répondit Jay dont le regard s'était assombri.

Lynn pensa qu'il était temps qu'elle intervînt...

— S'il vous plaît, ne vous disputez pas ! dit-elle.

Jay se retourna brusquement vers elle.

— Comme je viens de l'indiquer, il y a là-bas quelques clients potentiels !

— Alors j'y vais ! dit-elle calmement.

Elle partit d'un pas rapide.

Jay la suivit et Shelley se retrouva seul.

Shelley regrettait que Lynn s'en fût allée...
Elle avait éclairé le hangar de sa présence.

Il se secoua, irrité. Aucune femme ne resterait à ses côtés ! Elles étaient toutes égoïstes,
même si c'était à des degrés divers. Lynn ne faisait pas exception. Certes, elle était d'un commerce agréable. Mais, Gloria ne l'avait-elle pas
été aussi ?

Shelley se remit à ses épissures.

La journée avait mal commencé... La pluie et
ce début d'altercation...

CHAPITRE IV

Juin avait succédé à mai et le temps devint chaud et humide. Le soleil se levait et se couchait dans une débauche de couleurs, les clients étaient nombreux, qui aspiraient à se promener dans la forêt. La végétation était luxuriante et Shelley avait fort à faire pour entretenir les pelouses. Lynn entendait sans cesse le bruit de sa tondeuse qui lui parvenait par la petite fenêtre qui se trouvait près de la boutique.

Elle-même était à présent très occupée. Les affaires marchaient très bien... Deux fois, elle avait exécuté des bijoux qu'on lui avait commandés. Elle s'était couchée fort tard ces jours-là.

De temps à autre elle rencontrait Shelley à midi et ils déjeunaient ensemble. Etrangement, il manifestait une certaine réserve et elle regrettait le temps où ils avaient bavardé avec une réelle franchise.

Ils n'étaient restés ensemble un certain

temps qu'une seule fois. Ce jour-là, ils s'étaient rencontrés dans la forêt où ils se promenaient, solitaires. Elle l'avait aperçu assis sur un tronc, les yeux fixés sur les lueurs laissées par le soleil couchant et cela lui avait fait plaisir. Il l'avait accueillie gentiment et s'était déplacé pour lui permettre de s'asseoir.

« Absorbez-le avec vos yeux et votre âme ! avait-il dit. On ne trouve de telles couleurs que chez mère Nature. »

« On les trouve parfois sur une toile ! » avait-elle répondu avec un sourire.

« Vous ne renoncez donc jamais ? » avait-il demandé avec une grimace.

« Jamais ! Je continue d'attendre que vous fassiez d'autres tableaux pour la boutique... »

« Si j'en fais un, cesserez-vous de me harceler ? » avait-il dit en brisant nerveusement une brindille entre ses doigts bronzés.

« Si vous voulez... Mais, je pense que, si vous en faites un, vous en ferez d'autres... »

Il avait pris une cigarette, l'avait allumée, et avait soufflé un nuage de fumée bleutée.

« Parce que ce coucher de soleil a eu de l'importance pour moi, je vais le peindre pour vous. Mais, je vous en prie, ne vous attendez pas à plus ! »

« Pourrais-je le mettre en vente ? » avait-elle demandé, le souffle court.

« Ce que vous en ferez m'est complètement
égal ! avait-il répondu avec quelque désinvolture. Mais, vous, aurez-vous l'amabilité de cesser de me tracasser ? »

« Si vous faites vite, je cesserai... »

« Je vais m'y mettre ce soir même, avait-il dit
avec un sourire. Mes souvenirs seront frais... »

Il s'était levé et lui avait tendu la main.

« Nous ferions mieux de nous en aller ! avait-
il encore dit. La forêt n'est pas tendre pour les
promeneurs noctambules. Il y a même des
rôdeurs qu'il est préférable de ne pas rencontrer. La semaine dernière, juste derrière ce pin,
j'ai vu un énorme ours qui mangeait des
baies... »

Il l'avait aidé à se relever et elle avait frémi
de sentir ses doigts sur son poignet. Elle avait
souhaité pouvoir mieux le connaître, mais il
avait dressé une barrière entre eux.

Il avait tenu parole. Le tableau, il le lui avait
apporté deux jours plus tard. C'était un vrai
régal pour les yeux, une pure beauté. Shelley
avait saisi les douces nuances du coucher du
soleil, le vert sombre des pins et l'ivoire assourdi
des peupliers. Ce tableau était comme une fenêtre ouverte sur l'endroit qu'ils avaient regardé
ensemble.

Elle l'avait placé, avec beaucoup de précau-
tion, près de la fenêtre, à l'endroit conseillé par

Jay et les clients avaient tout de suite été attirés et avaient fait des commentaires. Elle avait mis devant une petite étiquette indiquant le prix — trente-cinq dollars —, bien en évidence mais ne détournant pas l'attention. Elle s'était dit qu'il valait bien cela et même plus...

Elle était derrière son comptoir, en train de contempler le coucher de soleil, lorsque Jay arriva.

— Il est presque l'heure de fermer ! lança-t-il. Partons pour l'île, voulez-vous ? J'ai demandé au cuisinier de préparer un panier de pique-nique pour nous deux...

— Beaucoup de travail m'attend, Jay ! dit-elle en secouant la tête.

— Viens ! (Il lui caressa doucement la main.) Je te ramènerai à temps pour que tu puisses travailler. Tu ne peux pas me refuser ça ! Pense donc au malheureux cuisinier...

Elle avait envie d'y aller. Elle était fatiguée, à cause des exigences répétées des clients.

— J'accepte, Jay ! J'ai besoin de me distraire...

Ils descendirent à pas lents jusqu'à l'appontement, Jay portant le panier.

Là se trouvait Shelley, qui était en train d'amarrer un bateau.

— Nous prenons celui-ci ! dit Jay en faisant

un signe de la main. (Shelley leva les yeux.) Nous partons pique-niquer, mon ami.

Il était difficile de savoir ce que pensait Shelley, mais il y avait une ombre d'irritation dans son regard.

— Il est un peu tard pour aller dans l'île, dit-il.

— Pas avec cet excellent hors-bord ! Nous y serons en moins de temps qu'il ne faut pour le dire.

Shelley haussa ses larges épaules et défit soigneusement l'amarre. Lynn avait compris qu'il était contrarié, voire en colère.

Jay aida Lynn à monter, puis il sauta à bord.

Il mit en marche le gros moteur qui se mit à vrombir et, une seconde plus tard, ils s'éloignaient du quai, suivis par une vague d'écume blanche.

Ils avançaient vite, mais Lynn voyait Shelley, debout sur le quai, qui les regardait.

L'île était posée comme un joyau sur le grand lac. Elle faisait une tache verte, était bordée d'une mince bande de sable blanc.

Lynn retint son souffle devant tant de beauté. Les peupliers et les pins la recouvraient comme un manteau et le ciel jaune faisait ressortir le blanc des uns et le vert des autres.

Quand ils furent tout près, Jay coupa le

moteur. Ensuite, il sauta à terre et tira le canot sur la plage.

— Une île déserte pour toi et moi ! dit-il.

Dans une petite clairière tapissée d'aiguilles de pin on avait aménagé un endroit où l'on pouvait faire du feu et c'est là que Jay déposa le panier.

— Nous allons faire un feu pour griller notre viande ! dit-il. Cela sentira le feu de bois. Je suis le meilleur cuisinier de toute la région !

Lynn se dit que Jay était vraiment amusant et pourtant elle pensait encore à Shelley...

Shelley allait-il être inquiet jusqu'à ce qu'ils fussent revenus ? Mais, n'avait-il pas dit lui-même qu'il ne s'inquiétait jamais de rien ?

La viande cuite par Jay était croustillante et Lynn, qui était affamée, en profita. Le cuisinier avait mis dans le panier une boîte de salade de pommes de terre, un gâteau et des fruits et ils mangèrent jusqu'à satiété.

Lorsque la nuit tomba, ils restèrent assis près du feu mourant, goûtant le silence.

Jay lui prit la main.

— Je n'ai jamais connu quelqu'un comme toi, Lynn, murmura-t-il. Tu es douce et gentille et il n'y a pas en toi une once de méchanceté. La plupart de celles que j'ai connues passaient leur temps à comploter. Toi, je suis sûr que tu es toujours sincère. (Il la regarda bien en face, le feu

mourant donnant à ce regard une étrange lueur.)
En fait, je ne sais pas si je ne suis pas en train de
m'éprendre de toi. Qu'en dis-tu, Lynn ?

Elle était étonnée de ce qu'il venait de dire.
Pourtant, elle savait qu'il tenait à elle. Ne
recherchait-il pas sa compagnie ?

— Je t'aime bien, Jay, dit-elle, honnête. Je
t'aime vraiment beaucoup. C'est agréable d'être
avec toi...

— Je parle d'amour, Lynn, dit-il d'une voix
douce.

— Je ne t'aime pas... pour l'instant.

— Alors, tout espoir n'est pas perdu ! (A présent, Jay souriait.) Avec le temps...

Il la prit dans ses bras.

Elle se débattit un instant, puis elle s'aban-
donna. Les lèvres de Jay lui étaient douces, mais
s'éprendrait-elle vraiment de lui un jour ?

Jay la relâcha.

— Je te laisserai le temps de réfléchir,
Lynn...

— Il y a tant d'autres femmes, Jay...

— C'est vrai ! Et Shelley t'a certainement
expliqué que je n'étais pas insensible à leur
charme... Mais, avec toi, c'est autre chose, Lynn.
Je pourrai t'aimer toute ma vie...

— Il faut que nous rentrions, Jay, dit-elle.

Lorsqu'ils furent assez près, Lynn et Jay distinguèrent deux silhouettes. Se trouvaient là Alice Snow, une Alice froide et sévère comme une jacinthe, et Shelley, qui s'appuyait contre un poteau.

Le visage d'Alice Snow était un masque de colère.

— Jay, je t'ai cherché partout ! s'écria-t-elle. Le salon est sens dessus dessous... Les clients s'ennuient pendant que tu batifoles !

— J'ai prévenu Julian ! dit Jay.

— Tu es chargé de l'animation de *Blue Harbor*, tu parais l'avoir oublié ! Va là-bas immédiatement ! Je suis persuadée que mademoiselle Baylon saura retrouver sa voiture seule...

Lynn avait compris qu'il n'était pas question de discuter.

Jay avait le visage tout rouge et il gardait les yeux fixés sur le bout du quai.

— D'accord, Sis ! dit-il. (Il se tourna vers Lynn.) A demain, ma chère ! Pense à notre... discussion.

Lynn se sentait exactement comme un enfant qui a été puni par un maître injuste...

Jay n'était-il qu'un beau parleur ? Il était en tout cas complètement soumis à sa sœur. Il avait prévenu son beau-frère qu'il allait être absent. Cela n'aurait-il pas dû suffire ? Il n'avait pas cherché à se défendre davantage. Lynn était fâchée d'avoir découvert que Jay se soumettait si facilement.

Shelley se redressa enfin.

— Je vais accompagner mademoiselle Baylon jusqu'à sa voiture, annonça-t-il tranquillement.

Jay était déjà loin.

Alice Snow, après un coup d'œil scrutateur sur Shelley, répliqua :

— N'oubliez pas que les Allison sont toujours sur le lac, Shelley ! Ils auront peut-être besoin d'aide en rentrant...

Shelley la regarda calmement.

— Le soir, je suis libre de mon temps ! Mais, je serai heureux d'aider les Allison s'ils en ont besoin...

Etait-ce le ton de sa voix ? toujours est-il qu'elle rougit.

— J'y compte bien ! dit-elle.

Elle s'en alla enfin.

Lynn sentit la puissante main de Shelley sur son épaule.

— Venez ! dit-il. Je trouve que nous nous sommes bien tirés d'affaire, même si ce pauvre Jay a été blessé dans son orgueil. Alice Snow s'est transformée en mégère quand elle a découvert que vous étiez partis tous les deux. S'il avait été avec la riche mademoiselle Allison, cela aurait été différent...

— Je suis vraiment navrée de ce qui vient de se passer...

— N'y pensez plus ! Il va soûler sa chère sœur de paroles et elle sera ensuite de bonne humeur. Il est très doué pour ce genre de chose, Jay... Vous vous êtes bien amusés sur l'île ?

— Très bien !

Le silence s'installa. Shelley s'attendait-il qu'elle en dît plus ?

Comme elle restait muette, Shelley parla :

— Ne vous laissez pas prendre par Jay, Lynn ! Il est intelligent mais égoïste...

« Curieux ! » pensa-t-elle. C'était la deuxième fois qu'il la mettait en garde contre Jay.

— Nous avons fait un très agréable pique-nique, dit-elle avec un peu de raideur.

— C'est tout ce que je voulais savoir. Maintenant, allons à votre voiture. Vous devez être fatiguée après cette longue journée...

Il l'accompagna jusqu'à la voiture.

Quand elle fut installée au volant, il posa son grand bras bronzé sur la portière.

— A demain, Lynn ! Dormez bien !

— Merci de..., de nous avoir attendus, Shelley.

— Je ne vous attendais pas vraiment... Je savais que les Allison étaient encore dehors.

— Je ne vous crois pas, Shelley ! dit-elle calmement.

— Bon, j'ai attendu ! dit-il aussi calmement qu'elle, mais lui avait rougi. On ne peut pas dire que Jay soit le meilleur navigateur du monde...

Lynn fit démarrer la voiture.

En route elle ressentit la fatigue. Et elle avait devant elle au moins trois heures de travail ! Elle n'aurait pas dû aller pique-niquer. Mais, Jay avait tellement insisté. Et il lui était agréable d'être en sa compagnie.

C'était aussi bien gentil de la part de Shelley de l'avoir attendue.

Tout en conduisant, elle se perdit dans le tumulte de ses pensées : serait-elle capable de faire face à ce qui allait sûrement se passer avec Jay ? Avec Alice Snow ? Et même avec Shelley ?

Jay était parti d'un pas rapide vers le grand salon. Sis l'avait réellement semoncé devant Lynn et Shelley et il en était fou de rage. S'il avait osé, il lui aurait tenu tête, mais il n'avait jamais pu lui dire quoi que ce fût quand elle était de mauvaise humeur. Depuis leur enfance, elle faisait tout ce qu'elle voulait de lui et il ne trouvait pas la force de s'opposer à elle.

Il savait qu'elle était juste derrière lui dans le chemin, mais il ne s'arrêta pas pour lui permettre de le rattraper.

Elle avait décidé de le rejoindre et elle le rejoignit !

— Pourquoi fais-tu des choses pareilles, Jay ? demanda-t-elle. Tu sais qu'ici tout doit bien se passer.

— Mais enfin, qu'ai-je fait, Sis ? répliqua-t-il. (Il alluma une cigarette avec nervosité.) J'ai une heure pour dîner. Je peux tout de même choisir de la passer dans l'île...

— Tu as été absent deux heures et je ne vois vraiment pas pourquoi tu as tenu à y aller en compagnie de cette petite demoiselle...

Jay resta silencieux, car il savait qu'un seul mot suffirait à faire monter sa sœur sur ses grands chevaux.

— Elle n'est pas pour toi, Jay ! Elle conviendrait peut-être à Shelley... Mais, tu sais que je vois d'un mauvais œil toute intimité entre ceux qui travaillent à *Blue Harbor*... Toi, mon cher frère, tu es de la classe des Allison. Ceux-là sont des gens riches et influents et leur fille Valerie est charmante et pleine de talent.

— Elle n'est pas séduisante !

— Mais son argent pourrait la rendre séduisante, dit Alice Snow suavement. Je veux que tu fasses sa conquête, Jay. Ce sont d'excellents clients et ils reviennent tous les ans.

— Comme tu voudras, Sis !

— Cela fait partie de ton travail, Jay !

Alice Snow avait parlé sur un ton extrêmement sec.

— Mais je verrai Lynn Baylon... quand je le
pourrai !

Parlant ainsi, Jay avait l'impression de lever
l'étendard de la révolte !

Il vit les jolies mains de sa sœur se serrer et
son visage s'empourprer de colère. Une seconde,
il pensa qu'elle allait le frapper comme
lorsqu'ils étaient petits. Mais, elle sourit.

— Tu feras ce que je te dis, Jay ! Va dans le
grand salon et empresse-toi auprès des Allison
quand ils arriveront.

— Comme tu voudras, Sis !

A l'hôtel, tout semblait se passer très bien,
contrairement à ce qu'avait proclamé Alice.
Quelques personnes chantaient autour d'un
piano et toutes les tables de tennis de table et de
cartes étaient occupées.

Pendant une demi-heure, Jay se mêla aux
clients, le sourire aux lèvres. Puis la porte
s'ouvrit devant les Allison.

Le père et la mère étaient grands et minces.
Quant à la fille... Eh bien, Valerie Allison n'avait
ni l'allure ni la grâce de l'un des deux ! C'était
une jeune fille petite et rondelette, au visage
anodin, timide et nerveuse.

Jay s'avança, prit le bras de Valerie et conduisit celle-ci de la porte au centre de la pièce.

— Maintenant, tout est parfait ! dit-il. (Il
était honteux, mais il ne le laissait pas voir.) Les
Allison sont là...

Il regarda la jeune fille comme s'il n'avait
parlé que pour elle.

Elle rougit légèrement.

— J'ai dit à Valerie qu'il y aurait des jeunes
ici ce soir, dit Mme Allison. La pauvre enfant a
été très seule aujourd'hui !... Il fait bien chaud
ici ce soir, ne trouvez-vous pas ? Peut-être
qu'une petite promenade au bord du lac...

— Je serai heureux d'être le cavalier de
mademoiselle Allison, si vous le permettez,
chère madame...

— Nous allons rejoindre ceux qui sont
autour du piano, monsieur Crane. Nous sommes
certains que notre petite fille sera en compagnie
d'un homme sérieux...

Jay prit de nouveau le bras dodu de Valerie
Allison.

— Allons-y, chère mademoiselle...

Jay et Valerie marchèrent en silence pendant
un moment. Jay faisait effort pour ne pas se
détourner de la jeune fille, mais ses pensées
allaient à Lynn...

Shelley avait dû l'accompagner jusqu'à sa voiture et elle devait être sur le chemin du retour.

Il se l'imagina penchée sur son établi, le regard attentif et les doigts agiles.

Comme il le lui avait dit, il était réellement en train de s'éprendre d'elle. Mais, il avait cru aimer Sue, et avant Sue Jenny, et avant Jenny Ruth. Aucune n'avait plu à Sis et tout le problème était là. Pourtant, avec Lynn, c'était autre chose ! Il s'agissait d'un sentiment vrai, profond...

— Que la nuit est belle !

Jay revint sur terre...

— Une belle nuit pour une jolie fille ! dit-il en serrant juste assez les doigts pour souligner ses propos.

— Vous dites de bien jolies choses, monsieur Crane, dit Valerie Allison avec un rire forcé.

— Jay...

Tout d'un coup, Jay fut pris de sympathie pour elle. Peut-être que Valerie Allison n'était pas difficile à séduire ? Il pouvait être amusant d'essayer. Il décida de jouer le grand jeu et dans un geste désinvolte il posa son bras sur les épaules de la jeune fille. Il la sentit trembler.

— Je ne me contente pas de dire des choses gentilles, je les pense, Valerie.

Il fut récompensé par son sourire.

Il se passe toujours quelque chose d'extraordinaire quand une femme sourit : le visage s'éclaire et embellit... Valerie ne faisait pas exception. Pendant qu'elle souriait, elle était presque séduisante.

Elle cessa de trembler et elle marcha avec une sorte de grâce.

Ils avaient pris le sentier qui descendait vers le lac. Les pins se dessinaient comme du velours noir frappé sur le ciel et le gravier leur paraissait du vif-argent sous leurs pieds. Si Lynn avait été là... Mais, c'était Valerie Allison qui était là et il fallait en profiter.

Si elle ressemblait aux autres, elle devait s'attendre qu'il l'embrassât à un moment ou à un autre. Il se demanda quel goût auraient ses lèvres. Puis, il trouva l'endroit qu'il cherchait : un petit banc rustique au bord du chemin.

— Reposons-nous un instant, chère Valerie...

Valerie Allison se laissa tomber sur le banc et Jay s'assit tout près d'elle. Puis, il alluma une cigarette et laissa la fumée s'envoler...

— Vous êtes heureuse ici, Valerie ?

— Oh oui, Jay ! Très heureuse ! Vous savez, nous venons tous les ans...

— Là où vous habitez, à Denver (*), vous

_____

(*) Capitale du Colorado.

devez avoir beaucoup de courtisans, n'est-ce pas ?

— Courtisans est un bien grand mot...

Cela « collait ». Il devait y avoir ceux qui désiraient profiter de la voiture de sport, de la piscine et de la prodigalité de papa. Mais un jour il y en aurait un qui voudrait profiter de tout en permanence.

Jay jeta au loin son mégot et passa une fois encore son bras autour des épaules de Valerie.

— La nuit est si belle que nous ne pouvons pas la laisser passer, dit-il doucement.

Elle se tourna vers lui...

Alors il posa ses lèvres sur les siennes et il les trouva chaudes et douces. Il fit durer le baiser longtemps, car il savait qu'elle le souhaitait.

Lorsqu'il la lâcha, elle reprit sa respiration...

— Jay ? soupira-t-elle.

— Oui, Valerie ?

— Jamais on ne m'avait embrassée comme ça...

Il lui prit la main et l'aida à se relever.

— Il faut rentrer ! dit-il. Vos parents vont se demander quel genre de promenade nous avons faite.

Sur le chemin du retour, il garda sa main dans la sienne.

— Quand vais-je vous revoir, Jay ? demanda-t-elle.

— Je vous retrouverai, répondit-il, ce qui n'avait aucun sens.

A la porte, il laissa sa main et se tourna vers elle.

— Ça a été une excellente soirée, Valerie ! dit-il.

Il remarqua alors combien était animé le visage de Valerie ; pendant une seconde, elle fut presque jolie.

Alice Snow était dans le salon et elle se tourna vers eux quand ils entrèrent. Elle était à côté de M. et Mme Allison et arborait un grand sourire.

Ainsi Sis était finalement satisfaite. Il s'était racheté. Si seulement elle pouvait le libérer tout de suite, il irait en voiture jusque chez Lynn... Mais, il rêvait ! Il était enchaîné à *Blue Harbor*, Sis l'entendait ainsi.

Le rêve était venu à Jay à l'aube. Il se débattit pour en sortir.

Il marchait sur une route noire qui montait et descendait sans cesse, difficilement car le goudron était mou. De chaque côté, il y avait de sombres mares tourbillonnantes et il avait du mal à ne pas y tomber. Il était à bout de souffle et affaibli par la peur. Quand il pensa ne plus pouvoir se garder, deux silhouettes apparurent :

Alice Snow et Valerie Allison. Puis, il aperçut Lynn, qui se tenait loin des deux autres, dont le visage disait combien elle avait peur pour lui. Toutes les trois lui tendaient la main, mais il lutta pour se rapprocher de Lynn, sans tenir compte d'Alice et de Valerie. La voix d'Alice, rendue cassante par la colère, parvint jusqu'à ses oreilles. Il vit sa sœur traverser la route et repousser Lynn. Alors la main potelée de Valerie prit la sienne et le goudron se solidifia.

Il se réveilla, inondé de transpiration.

Le rêve était-il prémonitoire ? Si Alice faisait ce qu'elle voulait, c'était possible. Peut-être était-il sot de ne pas vouloir profiter de l'argent des Allison ! Il n'aurait qu'à lever le petit doigt et Valerie le suivrait comme un chiot... Mais, il y avait Lynn.

Lorsqu'il arriva pour prendre le petit déjeuner, Sis était à table. Elle avait revêtu une robe verte qui soulignait sa beauté.

— Bonjour, dit-elle avec un sourire. Permets-moi de te faire des compliments pour hier soir ! Les Allison sont très contents...

Jay se força à lui rendre son sourire tout en repensant à son rêve.

— Un agneau à l'abattoir ! dit-il en guise de commentaire.

— Il est temps de penser à ton avenir, Jay ! dit-elle avec un léger froncement de sourcils. Valerie Allison ferait une excellente épouse...

— Pour l'instant, je n'ai pas envie d'épouser Valerie.

— Non. Tu préfères faire la cour à cette petite Lynn Baylon... Elle ne peut pas t'aider, Jay ! Elle ne peut rien t'apporter, elle !

— Je suis assez grand pour choisir, non ?

— Mon vieux — elle l'appelait ainsi lorsqu'ils étaient enfants —, j'ai toujours su ce qu'il te fallait. Si cela s'avérait nécessaire, je veillerais à ce que mademoiselle Baylon quitte les lieux. Et tu sais, par expérience, que je fais toujours ce que je dis. Souviens-t'en, Jay !

Il se dit qu'il ne risquait pas de l'oublier. A partir de cet instant, il faudrait qu'il ne rencontrât Lynn qu'en cachette.

Mais, tout s'arrangeait toujours pour le mieux pour lui...

Quand Alice reprit la parole, il comprit que tout allait se passer très bien, en tout cas dans l'immédiat.

— Je vais être absente une semaine, à cause des rencontres de Chicago, dit-elle. Toi et Julian, vous devrez vous passer de moi. Mais, tu n'oublieras pas les Allison... C'est clair ?

Jay beurra son toast en se disant que la journée s'annonçait bien...

CHAPITRE V

Alice Snow alla voir Lynn qui se trouvait derrière son comptoir. Elle avait un sourire froid.

— Mademoiselle Baylon, dit-elle, je ne serai pas là la semaine prochaine, mais tout se passera bien sous la direction de mon mari et de mon frère. Contentez-vous de faire comme nous l'avions prévu, en ouvrant aux mêmes heures et en garnissant bien vos rayons, et tout ira bien jusqu'à mon retour.

Lynn lui en voulut, mais elle ne dit rien. Elle voyait bien qu'Alice Snow était convaincue que sa présence était importante.

— Vous me comprenez, mademoiselle Baylon ? ajouta Alice Snow sur un ton sec.

— Oui, madame Snow.

— Encore un mot, mademoiselle Baylon... (Alice Snow tapota le comptoir du bout des doigts.) En mon absence, mon frère sera fort

occupé. Il va devoir se consacrer uniquement
aux clients.

« Voilà qui est clair ! » pensa Lynn en se sen-
tant rougir. Pourtant, elle ne pouvait pas ignorer
qu'Alice Snow était la véritable maîtresse de
Blue Harbor... Même son mari lui obéissait !

Lynn hocha la tête et une seconde plus tard
Alice Snow tourna les talons et s'en alla.

Jay arriva un peu plus tard. Il paraissait
embarrassé et Lynn en fut mécontente, mais elle
était heureuse de le voir.

— B'jour, Lynn ! dit-il. Je n'ai qu'une
seconde pour bavarder avec toi... Le travail
m'attend...

— Jay, madame Snow était là il y a un instant... Elle a édicté des lois et des règlements et
l'un stipule que je ne dois pas te rencontrer...

— Et alors ? dit-il avec un haussement
d'épaules. Elle n'est pas là pour l'instant ! Grâce
à Dieu, elle va être absente toute une semaine !
Nous pourrons nous rencontrer tous les soirs...

— Les clients, Jay...

— Qu'ils aillent au diable, Lynn ! C'est avec
toi que je veux être ! Personne ne nous séparera !
Comme je te l'ai dit, je crois que je t'aime. (Il
avait prononcé cette phrase d'une voix tendre...)
Je crois aussi que tu pourrais t'éprendre de
moi...

— Jay, tu ferais mieux de t'en aller ! Si ta

sœur te trouvait ici... (Elle, elle avait dit cela d'une voix suppliante...) Je ne peux pas me permettre de lui tenir tête, tu le sais bien !

— D'accord, je m'en vais ! Mais, je ne te quitterai pas d'une semelle durant la semaine où Sis ne sera pas là !

Une jeune fille se dirigeait vers eux en hésitant...

— Jay, je me demandais si vous ne pourriez pas m'accompagner sur le court de tennis...

— Bien entendu, Valerie ! répondit-il en dissimulant son irritation derrière un sourire.

Lynn lut la joie sur le visage de la jeune fille. « Ainsi, voilà une rivale ! » se dit-elle avec amusement. Une cliente pas très jolie qui essayait d'attirer un Jay indifférent. Elle ressentit une vague sympathie pour cette fille qui faisait des efforts pour se rendre séduisante...

Alice Snow allait partir. Lui fallait-il tant d'affaires pour une semaine ?

Shelley chargea la voiture, puis Julian et Jay se penchèrent pour baiser la joue que leur tendait Alice.

Juste avant que la voiture ne démarrât, Alice Snow lança :

— Et souvenez-vous, tous les deux...

Le départ d'Alice Snow fut le premier événe-

ment de cette journée. La vente du tableau de
Shelley serait le second. Assez curieusement,
c'étaient Mme Allison et sa fille qui s'y étaient le
plus intéressées.

— J'aime beaucoup ceci ! lança la mère.
Trente-cinq dollars, ça paraît un peu cher, mais,
comme j'ai l'endroit pour le mettre en valeur, je
vais le prendre. (Elle se tourna vers sa fille.) Ma
chérie, qu'est-ce qui te plairait ? Tu avais parlé
d'un étui à cigarettes pour homme, je crois...

— J'en ai plusieurs, fit remarquer Lynn.

Elle se pencha, prit dans le tiroir du bas un
fin étui d'or sur lequel elle avait monté deux bar-
res vertes.

Les doigts boudinés d'une Valerie ravie se
promenèrent dessus.

— Cela lui fera plaisir, dit-elle.

— C'est pour ce gentil monsieur Crane ! indiqua Mme Allison, toute souriante. Il a été très
aimable avec Valerie et nous voulons lui faire un
petit cadeau.

Elle avait dit cela sur le ton de la conversation...

Comme ça, Jay allait avoir un cadeau ! se dit
Lynn. Il avait certainement été aimable, mais
n'était-il pas là pour être aimable ? Pourtant,
elle ressentit une petite pointe de jalousie. Etait-
elle en train de s'éprendre de Jay comme il
l'avait souhaité ?

Elle avait glissé les trente-cinq dollars dans une enveloppe. A midi, elle allait essayer de voir Shelley.

Une heure plus tard, Julian Snow s'arrêta. Il avait l'air préoccupé.

— Tout va bien, Lynn ? dit-il. On dirait que tout se détraque depuis que madame Snow est partie ! Les Allison accaparent Jay et Shelley a plus de travail qu'il ne peut en faire.

— Moi, ça va. Très bien, même !

— Je vois que vous avez vendu le deuxième tableau... Dites-moi si je me trompe ! Les deux étaient bien de Shelley ?

— Oui.

— J'avais l'impression d'avoir vu le premier chez lui, il y a longtemps. C'est un artiste plein de talent ! Un des meilleurs.

— Que lui est-il arrivé, monsieur Snow ? demanda Lynn.

Elle n'avait pu se retenir...

— Ce qui est arrivé à beaucoup d'hommes... Une femme l'a emmené sur la longue et dure route de l'amour et puis elle l'a laissé tomber. Une fille étonnamment belle ! Il l'a amenée ici plusieurs fois... Il s'en est sorti, mais il n'avait plus envie de peindre. Je lui ai donné du travail et il s'en est satisfait... Il est regrettable qu'un tel talent soit ignoré !

— Maintenant, je le comprends mieux, dit

Lynn. Ne serait-il pas possible de l'inciter à se remettre à peindre ?

— Vous avez obtenu un premier résultat... Il vous fait confiance, en tout cas jusqu'à un certain point. Sinon, il ne vous aurait pas confié un tableau et n'en aurait pas fait un deuxième pour vous...

— Croyez-vous que je pourrais le décider à en faire d'autres, monsieur Snow ?

— Ça vaut en tout cas la peine d'essayer ! répondit Julian Snow. (Il haussa les épaules.) Le sauvetage de Shelley serait une excellente action !

Après son départ, Lynn repensa à leur conversation. Maintenant qu'elle connaissait la véritable histoire de Shelley, peut-être qu'elle pourrait mieux s'y prendre... Shelley était quelqu'un de trop bien pour demeurer dans le terrier qu'il avait creusé. Même si elle devait s'attirer un certain nombre de rebuffades, elle le harcèlerait. Mais, le plus urgent était de lui remettre l'argent qui lui revenait...

Lynn n'eut pas à attendre longtemps... Shelley, qui venait d'entrer dans l'hôtel, se dirigea immédiatement vers elle.

— Bonjour, dit-il. Il faut que j'aille en ville pour prendre du bois. Puis-je vous rapporter quelque chose ? Je prends les commandes aujourd'hui...

Heureuse de se trouver en sa compagnie, Lynn souriait.

— Si vous pouviez vous arrêter à la poste... J'attends un petit paquet de fil d'argent... Ça m'évitera d'y aller.

— Ce sera avec plaisir.

Elle vit son regard se porter sur l'étagère qui avait supporté sa toile. Elle ne put se retenir...

— Oui, elle est vendue, Shelley ! J'ai trente-cinq dollars pour vous dans cette enveloppe...

Elle poussa vers lui la pochette.

— Merci de vos efforts, répondit-il en faisant tourner l'enveloppe entre ses doigts. Je ne peux pas dire qu'ils seront inutiles. Un *cent* est un *cent*, n'est-ce pas ?

— Et maintenant...

Shelley leva la main pour arrêter Lynn.

— S'il vous plaît ! Je sais ce que vous alliez dire... Vous voudriez que je peigne encore et que votre petit coin regorge de mes œuvres... Je ne *peux* pas... Pas encore, en tout cas, Lynn. Croyez-moi, je ne suis pas prêt. De plus, je n'ai plus rien.

— Alors, achetez des fournitures aujourd'hui ! lança-t-elle. S'il vous plaît, Shelley ! Je ferai n'importe quoi pour vous aider... Je poserais même, Shelley, si vous me le demandiez !

Le regard de Shelley parut soudain chargé d'orage...

Elle s'en voulait... Elle s'était souvenue trop tard que quelqu'un avait posé pour lui... Cette silhouette sur fond d'arbres...

D'après ce que lui avait dit Julian Snow, elle pensait que c'était celle de la jeune femme qui l'avait délaissé.

— Merci de votre bonne volonté, Lynn, mais je ne peux pas vous suivre. Peut-être un jour...

Le regard de Shelley restait sombre...

— Achetez au moins du matériel, Shelley !

— Je ne promets rien ! dit-il en haussant les épaules.

Jay arriva au moment où Shelley s'éloignait et il eut une curieuse expression.

— Que faisait ce vieux Shelley ici ? demanda-t-il. Il aurait dû être en route pour la ville depuis une demi-heure !

— Il prenait des commandes...

— Je ne veux pas qu'il tourne autour de toi ! Lui pas plus qu'un autre ! (Jay eut un regard enjôleur.) Ce soir nous irons au *Starlight Lodge*, mon amour... Nous y dînerons et nous y danserons.

— Madame Snow...

— Sis est loin d'ici ! Par ailleurs, je n'ai pas l'intention d'obéir à ses moindres désirs. Nous serons de retour tôt et j'aurai largement le temps de m'occuper des clients. En fait, il n'y a que ça qui l'intéresse !

Elle avait envie d'y aller, envie d'être avec lui. Elle accepta avec joie.

Ils y allèrent donc.

Dans les bras de Jay, Lynn fut transportée. Il murmurait des mots d'amour à son oreille. Etait-elle en train de s'éprendre de lui ?

Il la laissa devant la porte, comme la première fois, et cette fois encore il posa ses lèvres sur les siennes.

Elle répondit à son baiser et il éclata d'un rire de triomphe.

— Je le savais ! dit-il. Tu commences à m'aimer, Lynn...

Shelley conduisait la camionnette sur l'autoroute. S'il trouvait tout ce dont il avait besoin à Dever, il n'aurait pas à aller à Thockton. C'était déjà fatigant de faire l'aller et retour assez vite. Car il fallait qu'il fît vite : les clients de *Blue Harbor* étaient généralement insouciants et il arrivait parfois qu'un canot mal amarré dérivât. Alors il devait aller le chercher...

De minces nuages blancs couraient sur le bleu du ciel et une légère brise, rafraîchissante, pénétrait par la fenêtre ouverte de la camionnette.

Shelley avait mis des vêtements de travail pour aller en ville, sachant que le chargement du bois n'était pas une tâche que l'on accomplissait en costume. Il espérait qu'il ne rencontrerait pas de gens « importants ». De toute façon... A une époque, on le considérait comme un dandy — il prenait alors grand soin de lui —, mais il y avait longtemps de cela. C'était le temps où lui et Gloria...

Il prit une cigarette, d'une main qui tremblait légèrement.

Après quatre ans, comment pouvait-elle s'émouvoir quand il pensait à Gloria ?

Il fit un effort pour la chasser de sa mémoire et se concentra sur la petite ville, Dever, qui se profilait au-delà de la colline. Il se dit soudain que Dever était un village « pour livre d'enfant », avec ces petites boutiques, ces petites maisons...

Il alla d'abord à la poste où il retira le paquet destiné à Lynn. Après l'avoir soigneusement glissé dans la boîte à gants, il prit la route de l'entrepôt.

Le vieux M. Smedly, ses lunettes pincées sur son long nez, lui sourit.

— Tu viens prendre ta commande de longerons, Shelley ? Tu vas sans doute m'en vouloir, mais je ne peux pas te les fournir. J'ai tout vendu hier ! Si ta commande avait été ferme, je t'en aurais gardé... Pour l'instant, mes réserves sont épuisées. La semaine prochaine...

Shelley était irrité, mais il garda son calme.

Après tout, s'énerver ne servait jamais à rien !

— Mais, j'en ai besoin tout de suite ! dit-il. C'est pour le nouvel appartement.

— Pourquoi ne vas-tu pas à Thockton ? Smith a une affaire plus importante que la mienne... Il en aura !

— Je crois que je vais devoir aller chez Smith !

Shelley s'en retourna à la camionnette.

Thockton était à trente kilomètres de là, mais il n'y avait rien d'autre à faire !

Il allait vite. Il devrait aussi se rendre dans une papeterie, pour y prendre des registres pour Julian...

Thockton était une vraie ville et il y conduisit prudemment car la circulation était intense.

Le magasin de Harry Smith se trouvait à l'autre bout de la ville et Shelley fut soulagé quand il y arriva.

En quelques minutes, il avait chargé ce qu'il était venu prendre.

Il prit la direction du centre...

La papeterie Brock formait un angle et il se gara.

Le magasin venait d'être refait ; il y avait partout de longs comptoirs neufs et l'éventail des marchandises s'était élargi.

Shelley regarda alors, instinctivement, une

pancarte... *Fournitures pour artistes*. Il ne réagit pas tout de suite... Quand il eut réalisé, il alla voir ce qu'on proposait là.

On pouvait acheter des toiles, des palettes, des pinceaux, des tubes de peinture et toutes sortes d'accessoires.

Le feu qui était en lui avait soudain repris.

Shelley examina les choses de près.

Tout était d'excellente qualité.

Il s'obligea à s'écarter et alla dans l'autre partie du magasin.

Là, il acheta les registres que Julian Snow lui avait demandé de rapporter.

Mais, il était certain qu'il retournerait au premier département. A *Blue Harbor*, il se calmait facilement, sauf lorsqu'il y avait un très beau coucher de soleil. Ici, la situation était extrêmement différente : les « fournitures pour artistes » étaient tout près.

Finalement, il prit trois toiles, des pinceaux et un assortiment de peintures et transporta, avec quelque difficulté, le grand paquet jusqu'à la camionnette. Il imaginait quel serait le plaisir de Lynn Baylon... Il lui conseillerait de ne pas s'enflammer : il s'écoulerait un certain temps avant qu'il ne se remît au travail, si jamais il s'y remettait ! « Et pourtant, Shelley, lui soufflait une petite voix, tu as fait le premier pas ! »

Irrité, il sortit de la camionnette. Il était tout

près d'un drugstore. Il allait manger un sandwich et boire un verre de lait avant de rentrer.

Il s'assit devant le comptoir et passa sa commande.

Comme il y avait au fond une grande glace, il
vit un couple entrer. La fille était petite et blond
doré et elle marchait avec grâce. L'homme qui
l'accompagnait était grand et se penchait vers sa
compagne. Ils se dirigèrent vers le rayon de la
parfumerie.

Shelley en perdit le souffle : elle ressemblait
tant à Gloria ! Quand elle tourna la tête, il la vit
clairement.

C'était Gloria !

Elle était là, à quelques pas de lui. Maintenant elle souriait largement à son compagnon.

Elle toucha du doigt plusieurs flacons de par-
fum.

Shelley se sentit suffoquer et tira sur le col
de sa chemise. Il fallait qu'il sortît d'ici, qu'il
reprît la camionnette et qu'il retournât au calme
de la forêt ! Autrement, il allait être malade. La
machine à café faisait un bruit anormalement
fort et tout autour de lui paraissait trop net.

Il se leva de son tabouret. Quitter ces lieux...

Mais il n'eut pas le temps... Gloria s'était
retournée !

Elle ouvrit de grands yeux et sa bouche
s'élargit.

Elle se précipita, parcourut rapidement la distance qui les séparait.

— Shelley ! cria-t-elle. Shelley, c'est bien toi ?

Elle portait une robe de lin bleu qui la moulait, ainsi que de petites sandales bleues. Ses cheveux étaient relevés au-dessus de ses petites oreilles.

Shelley pensa brusquement qu'elle resterait dans son souvenir telle qu'il la voyait là. Elle ne lui avait jamais paru plus séduisante...

— Shelley, tu ne me dis pas bonjour ? Cela fait si longtemps !

— Bonjour, Gloria.

Les mots étaient tombés sèchement de la bouche de Shelley.

Il n'était même pas sûr de les avoir prononcés !

Elle prit sa main dans les siennes...

— Shelley, parle-moi ! dit-elle d'une voix pressante. Tiens, je veux te présenter Bob Dixon. Il est pianiste au *Royal Club*.

Il tendit machinalement la main à Bob Dixon. Celui-ci la serra fermement.

Shelley ne trouvait toujours pas de mots à prononcer.

— J'ai été très triste d'avoir perdu ta trace, dit Gloria Hale d'une voix empressée. Après tout, nous avons été très... proches à une époque.

Que fais-tu en ce moment, Shelley ? Cela fait des années que je n'ai pas vu de tes œuvres... N'exposes-tu donc plus ?

Comme il ne répondait pas, elle porta les yeux sur le nom brodé sur sa chemise de travail. *Blue Harbor Lodge*...

— Où se trouve ce... *Blue Harbor Lodge*, Shelley ?

— Au bord du lac...

— Très bien. Mais, que fais-tu là-bas ? Tu te reposes ?

— J'y travaille.

— Mais, ton art...

— Je n'y pense plus, répondit-il bien vite. Cela faisait partie de mon ancienne vie. Je m'en suis construit une nouvelle où il n'y a pas de place pour les complications.

— Oh non ! s'écria Gloria Hale avec une petite moue. Tu étais brillant, Shelley, et l'avenir était prometteur !

— J'ai abandonné tout ça il y a longtemps...

Shelley devait faire un effort pour parler, car il avait une boule dans la gorge.

Il aurait voulu répondre de façon cinglante, dire des choses blessantes, voire cruelles. Il aurait voulu préciser : « quand tu m'as eu quitté, Gloria », mais il était incapable de méchanceté.

La serveuse posa un sandwich et un verre de

lait devant lui. Pourrait-il avaler seulement une bouchée ? boire une gorgée ?

— Glory, nous devons retourner au club ! dit Bob Dixon.

Le mot qui venait de tomber des lèvres de cet homme avait fait sursauter Shelley. C'est ainsi que lui-même aimait à appeler Gloria.

Il prit son verre d'une main tremblante et réussit à avaler une gorgée.

S'ils pouvaient s'en aller, retourner à leur satané club !...

— Nous ne devons plus nous perdre ! dit Gloria avec un sourire. Shelley, il faut que nous restions bons amis !

Bons amis ! Comment deux êtres qui s'étaient aimés, qui avaient cru qu'ils passeraient toute leur vie ensemble, mais dont l'un avait abandonné l'autre, pourraient-ils être de « bons amis » ?

Bob Dixon posa une main possessive sur le bras de Gloria Hale et répéta qu'ils devaient s'en aller.

Le geste mit en colère Shelley, mais il se contint.

Il regarda son ancienne amie. Celle-ci avait de toute évidence envie de rester, mais était-ce par intérêt ou parce qu'elle avait envie de retourner le couteau dans la plaie ?

Durant les quatres années qui s'étaient écoulées depuis qu'elle l'avait quitté, elle avait fait de nombreuses conquêtes, il en était certain. Bob Dixon était le dernier homme qu'elle avait séduit. N'avait-elle pas décidé de le séduire une seconde fois, lui ? Cette manière qu'elle avait de le regarder, ce sourire aguicheur qui flottait sur ses lèvres...

— Laisse-moi, dit-il doucement, se rendant à peine compte qu'il parlait à haute voix.

Il vit une lueur de triomphe dans le regard de Gloria et l'entendit répondre :

— Nous nous reverrons... bientôt, Shelley !

Gloria Hale et Bob Dixon s'en allèrent enfin.

Shelley ne tourna pas la tête.

Il resta longtemps assis. Il mangea un sandwich, but son lait, fuma deux cigarettes.

Il écrasa le second mégot, paya, se leva, alla à la camionnette et reprit le long chemin du retour.

Il avançait rapidement, comme si cela pouvait l'apaiser.

Il avait jeté le matériel sur le bois et il se dit qu'il lui serait égal que le paquet s'ouvrît et que son contenu fût perdu en route.

Shelley apporta ses registres à Julian Snow puis son paquet à Lynn.

Celle-ci le regarda fixement.

— On dirait que vous avez vu un fantôme ! s'écria-t-elle.

— J'en ai peut-être vu un, répliqua-t-il en lui tendant le paquet.

— Je vous remercie d'avoir été à la poste pour moi, Shelley ! Je vais avoir besoin de ce qu'il y a dans ce paquet ce soir.

— C'était un plaisir ! dit-il, trop poliment.

— Shelley, vous n'êtes pas dans votre état normal...

— Je suis fatigué... J'ai dû aller jusqu'à Thockton.

— Ah ! Alors, allez vous reposer. Tout semble bien se passer ici.

Shelley retourna à la camionnette. Il déchargea le bois et le rangea soigneusement dans le hangar. Puis, il conduisit la camionnette un peu plus loin et transporta son matériel dans sa maisonnette.

Dans un geste de défi, il jeta le paquet dans un coin de placard. Curieusement, il se sentit mieux après. « Maintenant, occupe-toi ! se dit-il. Oublie Gloria et ne pense qu'à ton travail ! »

Shelley voyait le visage de Gloria partout. Il se trouvait au bord du lac et il apparaissait sur l'eau, il regardait un arbre et le voyait au sommet...

Il travailla avec acharnement sur un bateau, vérifiant les cordages, refaisant les nœuds. Alors seulement le visage disparut.

Ainsi, il allait devoir lutter pour la chasser de *Blue Harbor* !

Quatre ans s'étaient passés et il ne l'avait pas oubliée !

En ayant terminé avec le bateau, il se mit à tailler les haies. Il travailla jusqu'à ce qu'il fût épuisé. Alors seulement il prit le chemin de son logis.

Là, il se jeta sur son matelas, mit le bras devant les yeux.

Il lui fallut un certain temps pour s'endormir.

CHAPITRE VI

« Il va faire chaud aujourd'hui ! » se dit Lynn sur le chemin de *Blue Harbor*. Le soleil brillait avec une telle ardeur que même les oiseaux se taisaient. Elle-même transpirait abondamment.

Elle accéléra. Avec ce temps, les clients allaient rester à l'intérieur et il pourrait y avoir beaucoup d'acheteurs.

La boutique « marchait » bien, très bien même. Une fois le loyer payé, il lui resterait une confortable somme. Même Alice Snow devrait reconnaître son succès !

D'habitude, elle apercevait Shelley en arrivant...

Elle ressentit un peu d'inquiétude. La veille, il lui avait paru évident qu'il avait été contrarié par quelque chose qui s'était passé en ville. Si seulement elle avait pu l'aider, de quelque façon que ce fût ! S'il se remettait à peindre ! Mais, s'y remettrait-il jamais ?

Dès qu'elle fut installée, Jay vint la trouver.

— Il va faire chaud aujourd'hui ! dit-il. Mais j'ai fait des plans mirifiques pour ce soir...

— Ils me concernent ? demanda-t-elle en souriant.

— Qui d'autre pourraient-ils concerner, mon amour ? rétorqua-t-il avec une moue. J'ai déjà prévenu les cuisines et nous aurons un dîner que nous emporterons sur notre île... Cela te convient-il ?

— Bien entendu, Jay. Si tu crois que cela ne posera pas de problèmes...

Jay eut un geste d'impatience.

— Aucun. J'en ai parlé à Julian et il n'a émis aucune objection. Alice ne souffrira pas — elle n'est pas là, n'est-ce pas ? — et je serai rentré assez tôt pour jouer au tennis de table avec Valerie Allison...

En parlant, il avait levé les yeux au ciel, et cette attitude fit rire Lynn.

— Je te prendrai ici à 18 heures, dit-il. Nous allons passer un moment superbe, comme chaque fois !

Quand il fut parti, elle rangea sa boutique, apportant un soin particulier à ce qu'elle présentait sur le comptoir. Elle se dit qu'elle serait heureuse d'aller là-bas avec Jay. Si elle était en train de s'éprendre de lui, cela était fort agréable...

Pendant les heures qui suivirent, Lynn fut

occupée par les clients qui admiraient ses bijoux.

Une femme d'âge mûr, à l'œil aussi perçant que celui d'une hirondelle, lui acheta cinq bracelets.

— Avez-vous d'autres peintures, de la qualité de celle que vous aviez la semaine dernière ? dit-elle ensuite. Je voudrais un tableau pour le bureau de mon mari... Celui que vous aviez reflétait si bien la beauté de cette région !

— Peut-être en aurai-je d'autres plus tard, madame, dit prudemment Lynn qui savait bien qu'elle ne pouvait rien promettre.

— Je l'espère, mademoiselle.

Les clients se succédèrent et à midi Lynn fut heureuse de pouvoir laisser sa boutique.

Elle prit ses sandwichs et sa bouteille et s'en alla.

L'air était lourd. Le lac et la forêt faisaient comme une nature morte. Lynn avait du mal à respirer. De vilains nuages flottaient bas à l'ouest et de temps en temps un éclair déchirait le ciel et le tonnerre retentissait.

Elle alla jusqu'à la maisonnette de Shelley.

Il était assis devant et s'éventait avec son chapeau.

— Bonjour ! dit-il. Il fait une de ces chaleurs ! Venez donc vous asseoir ! Il fait plus frais qu'à l'intérieur !

Elle se laissa tomber à côté de lui et ouvrit son paquet.

— Aidez-moi, Shelley ! J'en ai trop.

— Ce sera avec plaisir, Lynn ! Mais, laissez-moi fournir le café. J'ai une cafetière sur le feu.

Le tonnerre se rapprochait et retentissait de plus en plus fort.

— Nous allons avoir un bel orage avant ce soir, dit Shelley en observant les nuages noirs. Il va falloir que je fasse ma ronde plus tôt que d'habitude.

Lynn remarqua qu'il était calme ; il était presque redevenu lui-même. Quel qu'eût été son problème, il l'avait enterré ou avait réussi à le résoudre.

Elle mordit avec joie dans son excellent sandwich.

C'était peut-être le bon moment pour lui parler de sa peinture ? Elle choisit soigneusement ses mots...

— Madame Clifton est passée aujourd'hui, lança-t-elle. Elle aurait voulu une toile... Elle aimait beaucoup celle que j'ai vendue.

Shelley ne disant rien, elle continua :

— Je pensais...

— Rien du tout ! dit-il gentiment. Qu'essayez-vous de faire ? Vous savez que pour moi la peinture est liée à une ancienne douleur. Je vous en prie, Lynn, oubliez tout ça !

— Je cherche seulement à vous aider, Shelley ! Si vous recommenciez à travailler, vous pourriez sortir de cette douleur.

— Vous ne comprenez pas, Lynn ! Hier, j'ai rencontré une femme en ville, quelqu'un qui est lié à cette chose que j'essaye d'oublier. Tout m'est revenu. Je suis presque en moins bonne posture qu'avant ! Ce n'est pas parce que je suis là, détendu, à côté de vous, qu'il faut penser que...

Elle l'arrêta, car elle ne pouvait se retenir plus longtemps :

— Je suis navrée, Shelley, mais vous *devez* lutter contre cette chose. Plus tôt vous retournerez à votre peinture, mieux cela sera. Vos deux tableaux se sont vendus et les autres se vendront aussi, si vous le voulez...

Il alla chercher la cafetière, remplit les deux tasses, avala une longue gorgée.

— Je sais que vous êtes animée de bonnes intentions, Lynn, mais vous vous mêlez de ce qui ne vous regarde pas !

— Il faut bien que quelqu'un vous aide, Shelley ! Promettez-moi simplement une chose : vous allez essayer de vous remettre à peindre, que vous réussissiez ou non.

— Je ferai n'importe quoi si vous cessez de me harceler, dit-il d'une voix lasse.

— Topez là ! dit-elle en tendant la main.

Il topa, et Lynn sourit de ce premier succès.

Ils parlèrent ensuite de choses et d'autres et, quand l'heure du déjeuner fut passée, Lynn reprit le chemin de l'hôtel.

L'après-midi passa très vite — la vente fut quasi constante — et à 17 heures son petit tiroir-caisse était rempli de billets.

A 18 heures, Jay vint la chercher, tenant le panier de pique-nique. Il portait un short et une chemise blancs et il n'avait jamais eu plus fière allure.

— En route ! dit-il en l'entraînant.

— Shelley a dit qu'il risquait d'y avoir un gros orage, Jay, avant la fin de la soirée.

— Shelley peut garder ses prédictions, dit-il avec une grimace. Le ciel n'oserait nous faire un coup pareil ! Le tonnerre gronde depuis le début de la journée, mais il ne s'est pas rapproché...

Ils n'allaient avoir aucun mal à atteindre l'île. Le canot coupait une eau lisse et bleue...

Quand ils furent sous les pins, Jay entreprit de faire du feu pendant que Lynn vidait le panier.

— Quel bel endroit ! dit-elle en étendant un drap.

— Et nous sommes seuls, Lynn !

Il alla à elle, s'accroupit, rapprocha son visage du sien.

— Je t'aime chaque jour davantage, Lynn ! murmura-t-il.

Puis il posa ses lèvres sur celles de Lynn et celle-ci répondit de tout son cœur.

« Je l'aime vraiment ! pensa-t-elle. J'aime cet homme qui me serre si fort contre lui... »

Jay se recula avec un soupir.

— Il ne faut pas abuser des bonnes choses, dit-il doucement. Tiens, donne-moi la viande. Il faut se nourrir, n'est-ce pas ?

Pour Lynn, l'amour avait pour corollaire le mariage, mais Jay n'avait jamais fait allusion à des épousailles. Son amour était assez récent et il fallait sans doute attendre un peu...

Les nuages noirs s'étaient rassemblés et les éclairs dansaient comme des serpents.

Lynn était inquiète et elle fit part de son inquiétude à Jay qui était en train de faire griller la viande.

— Ne t'inquiète pas, Lynn ! répliqua-t-il. Tu es en sécurité avec ce bon vieux Jay...

Ils mangèrent en bavardant.

Quand ils eurent fini, Jay alluma une cigarette.

— Tu vois, l'orage s'est éloigné, dit-il. Nous allons rester un moment ici, pour profiter de la beauté du paysage, puis nous repartirons, en prenant notre temps.

Lynn jeta un coup d'œil à la masse noire.

Juste au moment où elle regardait, les nuages furent poussés et le ciel clair apparut. Mais elle vit aussi une chose horrible : une langue d'ébène léchait la forêt...

— Jay ! hurla-t-elle. Une tornade !

— Et elle vient par ici ! cria-t-il en se levant. Nous sommes coincés, Lynn ! Sauvons-nous, vite !

Il y eut un bruit assourdissant, comparable à celui qu'auraient fait cent trains arrivant à une vitesse folle...

Jay partit en courant vers les pins en criant à Lynn de le suivre. Elle s'élança à son tour.

Il avait le visage blême de peur et elle fut presque étonnée de voir combien il avait changé.

Elle le suivit, avançant au même pas que lui, tandis que le grondement se rapprochait.

Elle trébucha, mais il continua.

Lorsqu'elle se releva, elle sentit une douleur aiguë à sa cheville.

— Attends-moi, Jay !

Cet appel fut sans effet...

Jay avait pris une certaine avance et bientôt il disparut de sa vue.

Au prix d'efforts extrêmement douloureux, Lynn arriva de l'autre côté de l'île.

Là, le terrain descendait jusqu'à la plage et elle se laissa aller.

Il lui semblait — aux bruits qu'elle entendait

— que des arbres craquaient, dans l'autre partie de l'île, là où ils avaient été.

Puis, elle aperçut Jay. Il avait découvert un trou sous un énorme pin et s'y était terré.

Il tenait les mains au-dessus de la tête, comme si cela pouvait le protéger...

— Jay, fais-moi de la place !

Le vent emporta les paroles de Lynn.

L'expression de Jay lui fit comprendre qu'il la reconnaissait à peine.

— Il n'y a pas de place pour deux ! hurla-t-il.

Mais il se poussa.

Elle s'accroupit à côté de lui.

Des branches étaient balayées par le vent.

— Nous allons mourir ! gémit Jay.

Il posa son bras sur les épaules de Lynn, sans doute plus pour trouver du réconfort que pour lui en donner.

— Nous nous en sortirons ! hurla-t-elle.

Le Ciel l'entendit-il ? Le vent devint moins violent.

— Nous sommes saufs, Jay ! souffla Lynn.

— Grâce à Dieu ! s'écria-t-il.

Une branche lui avait entaillé la joue et il essuya le sang qui coulait avec la manche de sa chemise.

Lynn réagit la première.

— Le bateau a certainement été emporté, dit-elle. Il va falloir attendre qu'on vienne nous chercher. Est-ce que quelqu'un savait où nous allions ?

— Julian. Je le lui ai dit.

— Alors, retournons, si nous le pouvons, à l'endroit où nous étions. S'il n'y a pas trop de dégât à l'hôtel, monsieur Snow enverra quelqu'un...

« Pourvu qu'il envoie Shelley ! » se dit-elle. Shelley saurait ce qu'il faudrait faire... Elle se répéta plusieurs fois son nom, ce qui la stimula.

Elle trouva une branche solide dont elle se servirait comme d'une canne.

Ils avancèrent lentement, non seulement parce que sa cheville lui était douloureuse, mais aussi parce que le chemin était à présent obstrué.

Lynn souffrait, mais elle ne laissa pas échapper un seul cri.

Jay la suivait comme un enfant. Il marchait tête basse, appuyant son bras sur sa blessure.

Il ne parla qu'une fois, pour présenter ses excuses à Lynn, et elle sut qu'il avait honte de s'être ainsi comporté.

Au bout d'un temps qui leur parut très long, ils arrivèrent de l'autre côté de l'île. Bien entendu, il ne restait rien de ce qu'ils avaient apporté et le bateau n'était plus là.

Sur le lac flottaient, nombreux, des débris de toutes sortes.

Jay se laissa tomber par terre lourdement et grogna :

— J'aimerais que Sis fût là.

Il se mit à pleuvoir et bientôt ils furent trempés jusqu'aux os et frigorifiés.

— Nous ne pouvons même pas faire de feu, dit-elle. Il ne nous reste qu'à attendre que quelqu'un vienne...

Ils restèrent là, chacun perdu dans ses pensées.

Lynn éprouvait une sorte de pitié pour Jay. Dans un moment de faiblesse, il avait invoqué sa sœur. Allait-il rester toute sa vie sous la coupe d'Alice Snow ? A ce sentiment de pitié se mêlait une bonne dose de dédain... Avait-elle vraiment cru qu'elle commençait à s'éprendre de lui ? Il était vrai que dans une telle situation n'importe qui aurait pu réagir comme lui...

Jay rompit le silence.

— Comment va ta cheville ?

— Elle a beaucoup enflé et elle me fait très mal. Je ne crois pas que je pourrais faire un seul pas de plus, Jay.

— Je vais m'en occuper, Lynn...

Il déchira un pan de sa chemise, le laissa s'imbiber d'eau de pluie, puis en enveloppa étroitement la cheville blessée.

— Cela peut te soulager, dit-il timidement.

Cela la soulagea, en effet.

Ensuite, ils retombèrent dans le silence.

Au moment où Lynn avait l'impression de ne plus pouvoir supporter ce calme, ils aperçurent une lumière, vacillante et sautillante...

— Jay, quelqu'un arrive en bateau ! s'écria Lynn.

La lumière se rapprochait et ils entendirent bientôt le ronronnement d'un moteur.

— Merci, mon Dieu ! murmura Jay.

On cria le nom de Lynn et celui de Jay et ils répondirent. Enfin, elle distingua la longue silhouette du bateau qui arrivait. Et elle reconnut la voix de Shelley...

— Shelley, nous sommes là !... Sains et saufs !

Elle entendit le bateau accoster.

Un moment après, Shelley était devant eux, les mains tendues.

Lynn sentit ses doigts puissants se poser sur ses épaules...

Il voulut l'aider à se lever et elle hurla de douleur :

— Ma cheville !...

Il la prit alors dans ses bras.

— On va vous ramener, dit-il. La tornade est passée juste à côté de l'hôtel et Julian est débordé. Vous auriez dû savoir qu'il ne fallait pas venir ici quand l'orage menaçait ! (Il s'était tourné vers Jay.) Risquer la vie de Lynn et la tienne pour un simple pique-nique ! Allez ! au bateau !

Les bras de Shelley la serraient et lui tenaient chaud ; elle laissa sa tête reposer sur son épaule et ce fut comme si elle avait trouvé une récompense pour ce qu'elle venait de vivre...

Shelley la déposa doucement sur un siège.

— Tenez-vous bien ! dit-il gentiment. Vous serez bientôt dans un bon lit... Bien entendu, vous passerez la nuit à *Blue Harbor* ! La route doit d'ailleurs être impraticable...

« Comme il est bon que quelqu'un prenne les décisions ! » se disait Lynn pendant que Shelley guidait le bateau sur le lac obscur.

Elle se laissa aller sur son siège, épuisée.

Shelley la reprit dans ses bras et se dirigea vers l'hôtel. Jay suivait en traînant les pieds.

Julian Snow vint à leur rencontre. Il avait le visage inquiet.

— Il lui faut un lit ici ce soir ! lui dit Shelley. Elle s'est blessée à la cheville...

— Bien entendu ! répondit Julian Snow.

Lynn se retrouva dans un lit douillet et elle s'y nicha avec volupté.

Shelley vint lui bander la cheville. Il avait une technique sûre.

— Voilà ! dit-il. Demain, si ça ne va pas mieux, nous irons voir le docteur Loach.

— Comment avez-vous appris que...

— En faisant ma ronde, j'ai vu votre voiture et j'ai été interroger monsieur Snow. Il m'a appris que Jay vous avait emmenée dans l'île. Je prévoyais le danger, mais il est arrivé trop tôt pour que je puisse aller vous prévenir... Nous avons perdu quelques beaux arbres, mais les bâtiments n'ont pas souffert. Je pense que Dever a reçu le plus gros...

— Je ne pourrais jamais vous remercier suffisamment, Shelley !

— N'y pensez plus. Je n'ai fait que ce que je devais faire. Je sais que Jay n'est pas très... brillant dans les coups durs. Il a besoin de sa sœur, voyez-vous !

CHAPITRE VII

Comme pour faire oublier son humeur de la veille, la Nature offrit un matin aussi brillant qu'un penny neuf. Le ciel était d'un bleu pur et il ne restait que de tout petits nuages blancs pour rappeler ce qui s'était passé. Cependant il y avait partout des débris et des arbres à dégager et Lynn fut réveillée par le bruit que faisaient ceux qui déblayaient.

Elle fit sa toilette, s'habilla lentement.

Sa cheville la faisant moins souffrir, elle put aller jusqu'à la salle à manger.

Jay arriva alors qu'elle était à table. Il avait les traits tirés et sa blessure était couverte de sparadrap.

— Comment vas-tu ? demanda-t-il.

— Ma cheville me fait bien moins mal, répondit-elle.

— Je suis désolé de t'avoir emmenée faire ce pique-nique, Lynn, tu peux me croire...

— Jay, en fait, il n'est rien arrivé de grave...

— Sinon que je n'ai pas fait preuve de beaucoup d'initiative ni de... courage.

Elle lui prit la main.

— Jay, nous ne sommes pas tous taillés sur le même modèle, voilà tout ! Shelley est venu à notre secours, c'est ce qui compte vraiment.

— Ce bon vieux Shelley ! Je veux que tu saches que je t'aime, Lynn, malgré ce qui s'est passé !

— Je t'en prie, Jay, ne parlons pas... d'amour. Il y a tant de choses à faire aujourd'hui !

— Je voulais simplement que tu saches ! dit-il avec un haussement d'épaules.

Ces paroles n'émurent absolument pas Lynn. Elle avait bien pensé pourtant qu'elle commençait à s'éprendre de Jay !

Elle réussit à atteindre sa boutique et commença à y mettre de l'ordre.

Des groupes de clients erraient dans l'entrée. Ils évoquaient ce qui s'était passé la veille, disaient quels avaient été leur situation, leurs problèmes, leurs angoisses.

Les ventes ne furent pas nombreuses et d'un certain côté Lynn en était satisfaite... Ainsi elle pouvait rester sur son tabouret et sa cheville en était soulagée.

Elle avait envie de pouvoir retourner chez

elle pour se changer. Elle avait fait sécher ses vêtements, mais cela ne lui paraissait pas suffisant.

Shelley entra au moment où elle époussetait un coin du comptoir.

— Comment allez-vous ce matin ? demanda-t-il, l'air inquiet.

— Très bien, Shelley. Ma cheville me fait moins souffrir...

— Parfait ! J'ai été jusque chez vous... L'endroit a été épargné. Vous n'avez donc pas à vous faire du souci...

— Je veux vous remercier de nouveau, Shelley ! s'écria-t-elle, soudain consciente de tout ce qu'elle lui devait.

— N'y pensez plus ! dit-il avec quelque douceur. Quand j'ai découvert que vous étiez partie avec Jay, j'ai été très inquiet. Comme c'est un endroit très petit, vous pouviez ne pas être épargnée... Grâce à Dieu je vous ai retrouvée, saine et sauve !... Il faut que je retourne à mon travail ! Monsieur Snow a bien besoin de moi aujourd'hui... Au revoir !

Lynn fit deux petites ventes, puis, comme elle avait du temps, elle voulut mettre au net ses pensées. Que ressentait-elle pour Jay ? Avant qu'ils ne connussent cette mésaventure, elle pensait qu'elle commençait à s'éprendre de lui. Maintenant, elle doutait. Pourtant, un autre n'aurait-il

pas réagi comme lui ? Elle-même avait été terri-
fiée... Reviendrait-elle à de meilleurs sentiments
quand tout serait oublié ? que Jay serait redevenu lui-même, c'est-à-dire un garçon gai et
vivant ?

Alice Snow arriva à *Blue Harbor* à midi. Sa
voiture parcourut en trombe la longue allée et
s'arrêta devant l'hôtel.

Elle descendit et se dirigea d'un pas vif vers
l'entrée. Elle alla directement à la boutique.

— Bonjour, mademoiselle Baylon ! dit-elle.
Savez-vous où monsieur Snow peut se trouver ?

— Je crois qu'il est du côté de l'appontement, avec Shelley, et monsieur Crane doit se
trouver dans le grand salon.

L'irritation d'Alice apparut clairement, aussi
nettement que si elle avait dit : « Je ne vous ai
pas demandé où était Jay ! »

— Merci ! J'ai pris la route dès que j'ai eu
entendu parler de ce qui s'était passé...

— L'hôtel n'a été que frôlé, madame, et...

— Plus que frôlé, mademoiselle, si j'en juge
par le nombre des arbres qui sont tombés !

A cet instant, Jay entra dans la pièce.

Alice Snow se retourna vers lui.

— Jay, tu es blessé ? s'écria-t-elle.

— Ce n'est rien, Sis ! Une branche m'a touché...

« Ainsi, il ne va pas parler de ce qui s'est passé dans l'île ! » pensa Lynn.

D'un côté, elle ne pouvait le blâmer pour son silence : Alice Snow se serait mise dans une colère noire si elle avait appris qu'ils n'avaient tenu aucun compte de ses ordres... Mais, Julian Snow savait, lui ! N'informerait-il pas sa femme ?

— Viens avec moi, Jay ! Je veux faire un tour d'inspection et trouver Julian.

Jay suivit sa sœur lentement. Il était évident qu'il aurait préféré rester auprès d'elle.

Le travail de nettoyage dura toute la journée et à 17 heures Shelley entra, sale, épuisé. Il avait une expression de lassitude quand il s'arrêta devant le comptoir.

— Finalement, tout est à peu près en ordre, dit-il. Ça a été une journée longue et difficile. (Il regarda Lynn attentivement.) Pour vous aussi, n'est-ce pas ? Ces poches que vous avez sous les yeux le montrent... Comment va votre cheville ?

— Beaucoup mieux, Shelley. Je vais rentrer chez moi et me reposer.

— Je crains que Jay, votre compagnon de pique-nique, n'ait reçu un sermon de sa sœur, dit Shelley avec un petit sourire. J'étais en train de travailler et je les ai entendus discuter...

Enfin, c'est plutôt elle qui parlait ! Lui a eu du mal à placer quelques mots... Je crois que monsieur Snow lui a parlé de votre sortie... Jamais je n'avais vu madame Snow dans une telle fureur ! Vous aurez peut-être droit à un sermon si elle n'est pas trop occupée.

Lynn était inquiète.

— Ne va-t-elle pas m'ordonner de quitter l'hôtel, Shelley ? Jay avait dit que tout irait bien...

— Je ne voudrais pas vous voir partir, Lynn ! dit Shelley, l'air grave. Vous êtes la seule personne sensée ici...

Elle fut surprise de ces paroles. Pourtant, il avait parlé sur un ton de conviction. Elle se dit qu'il était difficile à comprendre : tantôt il était grave, tantôt il était insoucieux...

Elle ferma la boutique et il l'accompagna jusqu'à sa voiture, oscillant.

Le soleil était bas et dorait tout le paysage. Les hautes silhouettes des pins étaient nimbées et le lac, troublé par une légère brise, semblait avoir été recouvert d'une dentelle d'or.

— On devrait peindre ceci ! dit-elle doucement.

— Vous avez raison, Lynn ! répliqua-t-il. Mais, seul un artiste de grand talent pourrait le faire...

Cela était très clair !

Mais, Lynn ne désespérait pas de le voir un jour se remettre à la peinture...

Ils rencontrèrent Alice Snow alors qu'ils étaient près de la petite voiture.

Elle était raide comme un piquet.

— Mademoiselle Baylon, je voudrais vous parler ! dit-elle. Shelley, vous avez encore beaucoup de choses à faire, n'est-ce pas...

Quand Shelley se fut éloigné, Alice Snow se tourna vers Lynn.

— Mon mari m'a dit que vous et mon frère étiez sur l'île quand l'orage a éclaté. C'est une chose très dangereuse que de partir quand le temps est menaçant. Vous auriez dû, l'un et l'autre, être raisonnables. De plus, ici il y a une règle, qui interdit aux employés de se voir trop. Je vous en avais parlé, à vous et à Jay, mais vous avez passé outre. A partir de maintenant, prenez garde ! Je serais très ennuyée d'avoir à fermer votre boutique. J'ai entendu dire qu'elle « marchait » très bien, mais je ne supporterai pas un nouveau manquement à la règle ! Plus de rendez-vous secrets ! Jay est là pour distraire les clients et vous-même êtes là parce que nous vous avons autorisée à tenir boutique !

Lynn n'eut pas le loisir de se défendre...

Alice Snow avait tourné les talons.

Lynn fut prise de colère. Comment Alice Snow osait-elle lui parler sur ce ton !

Elle monta dans sa voiture et claqua la portière. Elle n'avait qu'une envie : s'éloigner de *Blue Harbor* et oublier ces mots que lui avait lancés Alice Snow comme autant de flèches.

En conduisant, Lynn essaya de se calmer pour pouvoir mettre un peu d'ordre dans ses pensées.

Alice Snow avait bien le droit de réglementer la vie des employés de *Blue Harbor*. D'une certaine façon, elle-même était une employée. Elle savait qu'Alice Snow voyait d'un mauvais œil — c'était le moins qu'on pouvait dire — ses relations avec Jay, mais, si elle avait suivi Jay, c'était parce qu'il avait insisté. En y repensant, elle se disait qu'elle avait peut-être autant de torts que Jay. S'ils continuaient de se voir ainsi, elle devrait quitter *Blue Harbor*... Et ça, elle ne le voulait pas ! Cependant, elle n'admettait pas qu'Alice Snow régentât ainsi sa vie.

Quand elle fut enfin chez elle, ce fut pour apprécier la solitude...

Lynn ne fut pas longtemps seule... En effet, Jay arriva, au volant de sa voiture de sport. Il était redevenu lui-même et elle fut contente de le voir.

Elle repoussa la cuvette dans laquelle elle avait fait tremper son pied.

— Bonjour, beauté ! s'écria-t-il. Si la montagne ne peut venir à Mohammed, Mohammed va à la montagne (*) ! (Il redevint soudain sérieux.) Je sais que Sis t'a parlé, Lynn. Elle est venue me voir juste après et m'a indiqué que tu courrais le risque de perdre la boutique si nous continuions à nous voir.

— Alors, que fais-tu ici ?

— Ta maison n'est pas *Blue Harbor*, Lynn, et je suis aussi incapable de ne plus te rencontrer que de ne plus respirer. Je t'ai dit que je t'aimais et j'étais sincère. Il faudra que nous soyons prudents, c'est tout, que nous ne nous rencontrions que dans des endroits discrets, là où Sis ne pourrait nous découvrir.

— Je n'aime pas ça, Jay ! Je ne suis pas honteuse...

— Je n'aime pas ça non plus ! dit-il. (Il haussa les épaules.) Mais, c'est la meilleure solution pour l'instant.

Il lui prit la main et pressa ses lèvres sur sa paume, mais cela la laissa insensible.

Les mots se pressaient aux lèvres de Lynn, mais elle se retint. « Pourquoi ne tiens-tu pas

---

(*) Selon la tradition musulmane, Mohammed faisait périodiquement retraite dans une caverne, dans une montagne située près de La Mecque. C'est là, vers 610, qu'il reçut sa première révélation : l'archange Gabriel lui apparut pour lui transmettre des paroles de Dieu.

tête à ta sœur ? avait-elle envie de demander.
Pourquoi la laisses-tu diriger ta vie ? » Mais,
elle-même, avait-elle tenu tête à Alice Snow ?

Jay rougit. Il avait lu dans ses pensées.

— Sis m'a toujours dominé, Lynn...

Lynn fut prise alors de colère.

— Jay, dans ces conditions, nous ne pourrons nous rencontrer ! Si tu ne réussis pas à lui
faire admettre qu'elle n'a pas à s'ingérer dans la
vie privée des autres, tout sera fini entre nous !

— Mais, ma chérie, ça ira très bien en dehors
de l'hôtel ! Allons nous promener et nous oublie-
rons Sis !

Jay avait dit cela sur un ton gai...

— Je dois travailler toute la soirée, Jay ! dit-
elle en secouant la tête. Par ailleurs, ma
cheville...

— Alors, je reste ici ! annonça Jay.

Il s'installa confortablement sur le petit sofa.

Il resta une heure et elle eut envie de le voir
s'en aller bien avant qu'il ne se levât...

A la porte, il prit sa tête dans ses mains et
l'embrassa. Mais, si ses lèvres étaient douces,
Lynn n'éprouva aucun trouble. Que lui arrivait-
il donc ?

Elle se souvint qu'un jour, alors qu'elle était
enfant, son père lui avait dit quelque chose qui
l'avait impressionnée : « Sache, Lynn, que sans
respect il n'y a pas de véritable amour ! »

Elle ne pouvait pas respecter Jay, parce qu'il n'essayait même pas de lutter pour se dégager de l'emprise de sa sœur.

Elle passa trois heures à son établi, ne pensant plus à Jay ni à Alice Snow. De la beauté sortait de ses doigts... Quand elle eut terminé, elle se traîna jusqu'à son lit. Fatiguée, elle s'endormit aussitôt.

CHAPITRE VIII

Ce matin-là Gloria Hale arriva à *Blue Harbor*. Lynn était en train de ranger sa voiture lorsque la voiture de sport blanche pénétra dans le parking. Lynn fut frappée par la beauté de la femme qui était au volant. Une chevelure blonde, étincelante, encadrait son visage...

Gloria Hale se dirigea d'une démarche élégante vers Lynn. Son regard violet était acéré, mais ses lèvres s'ourlèrent en un sourire lorsqu'elle fut devant elle.

— Pourriez-vous m'indiquer où se trouve le bureau ? demanda-t-elle d'une voix basse et musicale.

« Une nouvelle cliente ! » se dit Lynn.

— Juste après la grande porte, à droite, indiqua-t-elle.

— Merci ! J'espère qu'il y aura une chambre de libre. J'ai besoin de me reposer trois ou quatre jours...

— Je pense qu'il y en a... J'ai en tout cas entendu monsieur Snow dire, hier, qu'il y avait de la place.

— Vous habitez ici ? demanda l'inconnue après avoir observé Lynn.

— Non. Je « tiens » une petite boutique dans l'entrée.

— Peut-être pourriez-vous me donner un renseignement... Est-ce que Shelley Grayle travaille bien ici ?

— Oui. Il s'occupe du parc, des bateaux et de diverses autres choses...

Le sourire de Gloria Hale s'accentua et le regard devint plus acéré.

— C'est un vieil ami ! Je suis impatiente de le revoir.

Lynn fut brusquement prise de peur. Elle pressentait un danger... Cette femme, n'était-elle pas celle qui avait abandonné Shelley ? Le jour où Julian Snow lui avait parlé de ce qui était arrivé à Shelley, avait-il nommé la traîtresse ?

Il fallait qu'elle sût...

— Quel est votre nom ? demanda-t-elle d'une voix contenue.

— Gloria Hale. J'ai vu Shelley l'autre jour, à Thockton et j'ai appris qu'il travaillait ici. C'est un bien bel endroit ! (Gloria Hale regarda autour d'elle.) Je suis sûre que je vais me plaire ici !

Lynn n'aimait pas son regard.

Elle se dit qu'elle devait avertir Shelley de l'arrivée de Gloria Hale. Si c'était la femme qu'il essayait d'oublier... Elle se promit d'aller le trouver à midi.

Gloria Hale se dirigeait vers le bâtiment. Elle la suivit.

C'était Jay qui se tenait derrière le bureau des réservations et Lynn le vit sourire d'une façon qui lui parut singulière quand il vit Gloria Hale. Celle-ci minauda. « Elle le trouve fort intéressant, à l'évidence ! » se dit-elle.

Un moment après, ils s'en allaient tous les deux. Jay conduisait Gloria à sa chambre.

Le séducteur ne tarda pas à revenir et il vint à la boutique, le sourire aux lèvres.

— Je lui ai donné l'une des meilleures chambres disponibles, dit-il. Elle va se reposer de son voyage et puis elle essaiera de se détendre à la piscine.

— Elle est séduisante...

— Elle l'est, mais bien moins que notre petite boutiquière ! (Jay se rapprocha de Lynn.) Ce soir ?

— Non. Ce soir il faut que je travaille... Je n'ai presque plus rien à proposer...

Jay s'était renfrogné.

— Demain soir, alors ?

— Je ne suis pas sûre que...

— Je serai chez toi à 20 heures, Lynn !

Jay retourna à son bureau, comme si la cause était entendue.

A midi, Lynn se rendit auprès de Shelley. Elle le rejoignit au moment où il allait entrer chez lui.

— Bonjour ! dit-il. Vous venez m'offrir de partager ces merveilleux sandwichs ? Je suis affamé, comme d'habitude !

— Vous ne vous trompez pas ! répondit-elle. Vous fournissez le café, naturellement ?

Elle se dit qu'il avait l'air en forme. En tout cas, il était moins tendu qu'à son retour de Thockton... Quel coup allait-il recevoir si cette Gloria Hale était bien celle qui avait brisé sa vie !

Elle entra dans la maisonnette et déposa les sandwichs sur la petite table.

— Shelley, une nouvelle cliente est arrivée ce matin, dit-elle d'une voix douce. Une très jolie femme.

Il était en train de s'essuyer les mains avec un torchon.

Il lui lança un regard distrait.

— Et après ?

— Shelley, elle... Elle a parlé de vous ! Elle se nomme Gloria Hale. Vous la connaissez ?

Il devint extrêmement pâle, se mit à trembler.

— Gloria ? fit-il d'une voix rauque.

— Oui, Shelley. Elle a l'intention de rester quelques jours ici. Elle a dit qu'elle venait se reposer.

Le silence s'installa, épais. Il dura un certain temps.

Shelley s'assit.

— Vous êtes sûre ? souffla-t-il.

— Oui. Je lui ai parlé, Shelley...

Shelley parut se reprendre...

— Je ne le supporterai pas ! s'écria-t-il. Je ne peux pas rester si elle rôde par ici...

A cet instant, Lynn réalisa qu'elle vouait à Gloria Hale une haine totale.

— Shelley, il faudra que vous le supportiez, dit-elle. Vous pouvez ne pas la voir, l'éviter.

— Vraiment ?

Il ne paraissait pas convaincu...

Ils mangèrent et burent peu.

Lynn voulut insister...

— Je vous en prie, Shelley, faites un essai, dit-elle. Vous ne devez pas abandonner, maintenant. Vous faites des progrès. Vous êtes quelqu'un de trop bien pour vous laisser détruire par une Gloria Hale. Monsieur Snow m'a un peu parlé de ce qu'il s'est passé...

Le visage de Shelley était toujours aussi pâle et ses doigts tremblaient.

— Je vais essayer, Lynn, parce que je le dois ! Mais, je crois que ça ne résoudra absolument rien...

Elle était désespérée de le voir si sceptique...

Il fit effort et cessa de trembler.

— Il me reste mon travail, Lynn... J'éviterai, dans la mesure du possible, de croiser Gloria. Si j'ai de la chance, elle rencontrera quelqu'un qui sera sensible à son charme et la détournera...

— Quelqu'un comme Jay, dit Lynn.

Jay avait souri béatement et Gloria Hale avait minaudé...

— Quelqu'un comme Jay, en effet...

Lynn aperçut Gloria Hale dans le courant de l'après-midi. Elle portait un maillot de bain bleu et se dirigeait avec grâce vers la piscine.

Lynn poussa un petit soupir de soulagement : Shelley travaillait dans le hangar à bateaux, qui était assez loin du bassin...

Elle avait vendu un certain nombre de choses ce jour-là et ce fut avec soulagement qu'elle ferma. Elle était très lasse et sa cheville lui faisait mal. Elle aspirait à être seule. En travaillant elle pourrait réfléchir, et elle trouverait peut-être une idée qui lui permettrait d'aider Shelley.

Le soleil était déjà bas et le ciel avait l'aspect qu'elle aimait le plus. Entre chien et loup, on pouvait oublier les problèmes de la vie quotidienne, se livrer à une introspection...

Enfin elle fut chez elle.

Elle prépara un dîner tout simple, dîna près de la fenêtre. Un écureuil à la queue en panache — « Un point d'interrogation ! » se dit-elle — la regardait.

Ensuite, elle alla à son établi et se mit au travail. Elle ne renonçait jamais à faire un bijou... Il fallait qu'elle obtînt satisfaction !

La nuit était tombée — elle était d'un noir de velours — et Lynn s'étira. Le temps avait passé sans qu'elle s'en rendît compte et il fallait qu'elle allât se coucher si elle voulait être disposé le lendemain.

Elle se leva et aperçut deux pinceaux de phare. Si c'était Jay qui se permettait de venir à cette heure, il resterait dehors !

Il y eut le bruit d'une portière qu'on ouvrait et qu'on fermait.

Une haute silhouette s'approcha, qui n'était pas celle de Jay.

On frappa à la porte.

Ne serait-il pas imprudent d'ouvrir ?

Mais, comme elle avait cru reconnaître...

Elle ne s'était pas trompée : c'était bien Shelley !

Elle vit qu'il était extrêmement las.

— Je peux entrer ? demanda-t-il.

— Bien sûr ! J'ai été si surprise...

— Je ne veux pas vous ennuyer. Je sais que vous êtes occupée, mais j'avais besoin de parler et c'est vous que j'ai choisie.

Elle le conduisit dans le petit salon et il se laissa tomber sur le sofa.

— Que s'est-il passé, Shelley ?

— Ce à quoi je m'attendais, Lynn... J'étais dans le hangar et Gloria m'a découvert là... Bien entendu, elle m'avait cherché...

— Racontez-moi exactement ce qui s'est passé, Shelley !

Lynn eut l'impression que Shelley n'attendait que cette invitation...

— Elle est arrivée dans le hangar, en maillot, jouant les aguicheuses... Elle m'a dit que je lui avais terriblement manqué, qu'elle n'avait jamais cessé de penser à moi... Elle est restée là une demi-heure, à essayer de me séduire. Et puis, comme si elle avait réalisé la première partie d'un plan, elle s'en est allée, aussi soudainement qu'elle était arrivée. Elle m'a dit qu'elle allait demeurer un certain temps à *Blue Harbor*... Je ne sais que faire, Lynn ! Déjà j'ai failli me laisser prendre à son jeu... (Shelley se passa la main dans les cheveux.) Si elle reste là...

— Vous ne devez pas retomber sous son influence, Shelley ! s'écria Lynn.

— C'est facile à proclamer, Lynn ! Il n'y a

pas si longtemps, je ne vivais que par cette femme !

— Maintenant, vous êtes Shelley Crayle et vous n'avez plus besoin d'elle !

Shelley alluma une cigarette et souffla un nuage de fumée.

— C'est possible, Shelley, j'en suis sûre ! Il doit y avoir quelque chose que nous pourrions faire... ensemble pour y parvenir ! Cette Gloria Hale n'est tout de même pas Messaline (*) !

Shelley esquissa un sourire, sans doute à cause de la comparaison, mais son regard était aussi sombre.

— Vous êtes merveilleuse, Lynn ! dit-il. Mais, je ne veux pas que vous soyez mêlée à cette histoire... Je me battrai seul mais je me battrai, je vous le promets... J'ai découvert quelque chose : Gloria ne me poursuit pas pour moi-même. Elle est seulement vexée que quelqu'un qui l'a adorée ne lui revienne pas quand elle le désire... Comme elle serait heureuse de pouvoir dire à ses amis : « Vous voyez bien quel est mon pouvoir de séduction ! » Elle est capable de

---

(*) Impératrice romaine, Messaline, femme ambitieuse et dissolue, exerça pendant longtemps une influence absolue sur son mari, l'empereur Claude. Elle fut assassinée en 48, Claude n'ayant pas supporté davantage d'être bafoué.

remuer ciel et terre pour me reprendre dans ses filets !

— Vous avez promis de lutter, Shelley !

— Je sais, Lynn... Mais, croyez-moi, ce ne sera pas facile !

— Si vous travailliez d'arrache-pied et que vous vous remettiez à la peinture...

Lynn observa Shelley. Comment allait-il réagir à cette suggestion ?

Il ne répondit pas tout de suite, mais Lynn crut voir dans son regard une lueur d'intérêt...

— Si je pouvais être sûr, Lynn, que...

— Essayez, Shelley ! Travaillez dur pendant tout le temps qu'elle sera là !

— Vous avez l'air si sûre de vous, Lynn !

— Je le suis. Le travail guérit de tout, je le sais par expérience...

— Avez-vous eu tant de problèmes, Lynn ?

Cette fois, Shelley sourit franchement.

— Je connais la solitude, Shelley...

— Je suivrai votre conseil, Lynn... Je vais devenir un bourreau de travail !

— Et vous allez vous remettre à la peinture, n'est-ce pas ?

— D'accord, Lynn. (Shelley avait dit cela comme à regret.) Au début, je devrai faire des efforts... Il y a si longtemps... Mais, j'y arriverai ! Bon, maintenant, je vais rentrer me coucher ! Vous m'avez donné du courage, Lynn !

— J'en suis heureuse. Ne voulez-vous pas rester un peu plus longtemps ? Je ferais du café...

Shelley secoua la tête.

— Non. Je vous ai fait perdre assez de temps ! Je vous ai surprise en train de travailler. (Shelley prit la main de Lynn et la serra très fort.) Heureusement que vous êtes là, Lynn !

Quand Shelley s'en fut allé, Lynn resta assise, sans bouger, jusqu'à ce qu'elle n'entendît plus le bruit de la voiture.

Il avait donc promis de se remettre à la peinture !

Une chose l'inquiétait cependant... Gloria Hale s'était attachée — mais était-ce de l'attachement ? — à lui alors qu'il était un peintre apprécié. Si elle apprenait qu'il s'était remis à la peinture, n'allait-elle pas redoubler d'efforts pour le faire revenir à elle ?

Elle aurait fait n'importe quoi pour l'éloigner de cette Gloria Hale, ou plutôt pour éloigner celle-ci de *Blue Harbor* !

Gloria Hale s'était éloignée de la piscine à pas lents. La journée ne s'était pas passée comme elle l'avait espéré...

Elle avait bien trouvé Shelley, dans cet affreux hangar, et elle lui avait parlé, mais il était resté distant. Peut-être même avait-il été méprisant à un moment... Pourtant, elle avait réussi à lui faire baisser la garde... Son regard avait été celui d'un homme qui n'avait rien oublié ! Non, la partie n'était pas perdue !

Sa mémoire avait remonté rapidement le cours du temps...

A cette époque, Shelley était charmant. Il y avait toujours foule dans son petit atelier, ce qu'elle appréciait. C'était d'ailleurs cette notoriété qui l'avait attirée... Et puis, elle avait pensé qu'elle s'était éprise de lui. Et quelque temps après ils avaient décidé de se marier. Mais, il ne tolérerait plus que son atelier fût sans cesse envahi. S'il devait continuer de peindre, elle serait seule témoin de ce qu'il ferait.

Elle aimait trop la compagnie et un jour elle avait pris la décision de rompre. Sur une impulsion...

Jamais elle n'avait oublié le regard qu'il avait eu ce jour-là !

Il était venu chez elle et son baiser lui avait été très doux. Elle avait joué avec sa bague de fiançailles. Brusquement, parce qu'elle ne voulait pas qu'il lui dictât ses volontés, elle avait retiré la bague de son doigt et la lui avait tendue.

Ils devaient se marier deux jours plus tard !

Dans la période précédente, Shelley était devenu de plus en plus agressif envers ceux qui se risquaient à venir dans son atelier. Parfois, il les chassait carrément. Elle, elle aimait les bavardages et les rires...

Elle avait donc glissé l'anneau dans la main de Shelley et avait vu son visage devenir blanc comme un drap.

Alors elle avait dit :

« Shelley, ça n'aurait pas pu « marcher » ! Il vaut sans doute mieux renoncer maintenant... »

La bague avait roulé sur le sol. Il ne s'était pas penché pour la ramasser, l'avait regardée avec de grands yeux :

« Pourquoi, Gloria ? » s'était-il écrié.

« Parce que je ne supporterais pas de ne pas être libre... »

« Mais, tu m'aimes et je t'aime, Gloria ! »

« Un mariage se fait à deux, Shelley, et j'ai toujours voulu avoir du monde autour de moi, sortir, rencontrer des gens intéressants. »

« Nous pourrions essayer, Gloria ? »

« Non, ce ne serait pas pareil. Je ne serais pas aussi libre que je le voudrais... »

« Tu tiens donc à ta liberté plus qu'à moi, Gloria ? »

« J'ai toujours été comme ça, Shelley. Je ne peux changer... »

« Mais, le mariage... »

Cet « argument » avait été le dernier qu'il avait trouvé.

« Ce ne serait pas la première fois qu'on renoncerait à un mariage, Shelley ! »

Il était resté sans bouger, réalisant qu'il n'y avait plus rien à dire, que rien ne la ferait revenir sur sa décision.

Puis, il s'était penché et avait ramassé la bague. Il s'en était allé sans se retourner.

Shelley avait disparu quelque temps après qu'elle avait eu rompu. Pendant une longue période, il lui avait manqué, mais elle n'avait pas regretté sa décision : elle avait eu de nombreux chevaliers servants et la vie avait été belle. Elle avait donc éprouvé un sentiment de frustration : elle aurait voulu qu'ils restassent bons amis et même — pourquoi pas ? — qu'il fût membre de sa cour. Elle était ainsi faite : quand elle perdait quelque chose, elle lui attribuait une grande valeur et elle n'avait de cesse qu'elle l'eût récupéré. Par exemple, il y avait eu l'histoire de la poupée... Elle n'avait alors que cinq ans. Elle avait donné sa poupée à l'une de ses camarades et elle avait reçu une poupée beaucoup plus grande et jolie... Mais, ayant constaté que l'autre était pleinement satisfaite, elle s'était battue comme une jeune tigresse et elle avait repris sa poupée. Sa mère l'avait punie, mais cela lui avait été égal.

Maintenant, c'était le tour de Shelley ! Elle voulait le « récupérer »... Ah ! l'ivresse de la bataille ! Elle avait toujours obtenu ce qu'elle voulait...

Evidemment, elle n'avait pas dit à Bob Dixon où elle allait... Elle lui donnerait de ses nouvelles quand elle le jugerait utile. Il fallait garder Bob « en réserve ». Il accourrait si elle lui demandait de le faire. Elle l'aimait bien, Bob, presque autant qu'elle avait aimé Shelley. Mais, bien entendu, il n'était pas question qu'elle se mariât avec lui...

Gloria Hale prit une douche et revêtit une robe d'un jaune doux. Cette couleur allait avec la brillance de ses cheveux, elle le savait.

Elle allait explorer ce ravissant parc avant le dîner, et si elle rencontrait Shelley elle bavarderait avec lui, ce qui lui permettrait de le jauger.

Il n'y avait dans l'entrée que la jeune femme brune qui tenait la boutique de bijoux.

Gloria Hale alla avec nonchalance jusqu'à la boutique et examina des boucles d'oreilles. Ces bijoux lui plaisaient et elle acheta deux paires de boucles.

— Je les offrirai, dit-elle. Comment vous appelez-vous, ma chère ? Nous nous sommes rencontrées sur le parking, n'est-ce pas ?

— Lynn Baylon. Avez-vous trouvé monsieur Grayle ? Vous aviez parlé de lui...

— Je l'ai découvert dans un gigantesque hangar, près du lac, mais je n'ai passé que peu de temps avec lui. Je vais essayer de le faire revenir à de bons sentiments... Comme je vous l'ai dit, nous étions d'excellents amis...

Il sembla à Gloria Hale que Lynn Baylon faisait grise mine.

Etait-il possible que celle-ci fût l'amie de Shelley ? Avec ces yeux gris, et ces manières timides... Quoi qu'il en fût, il ne fallait pas perdre de temps !

Elle erra un certain temps dans le parc. Shelley était-il absent ou se cachait-il ? Il ne pourrait pas se terrer indéfiniment... Et comme elle était une excellente chasseresse...

De retour à l'hôtel, elle alla à la salle à manger. Elle goûta la décoration rustique, apprécia le style de ceux qui étaient là.

Plusieurs têtes se tournèrent vers elle et elle eut un sourire de satisfaction.

Le bel homme qui l'avait accueillie entra dans la salle. Elle laissa son regard flotter de son côté...

Il s'approcha, comme elle l'avait prévu.

— Puis-je ? dit-il. Il n'y a rien de plus triste que deux personnes seules à table. Par ailleurs, vous avez probablement besoin de certains renseignements et je suis la personne qualifiée pour informer les nouveaux venus.

— Asseyez-vous, je vous en prie ! répondit-elle avec un joli sourire. Je suis seule et j'ai effectivement besoin d'informations...

« Dieu, que cet homme est aimable ! » se dit-elle.

Gloria Hale était ravie d'être à *Blue Harbor*.

— Je suis intéressée par les... distractions, dit-elle prudemment.

— Les distractions, c'est ce dont je suis chargé, dit Jay. Nous avons tout ce qui peut exister dans un établissement bien conçu, même des chevaux. Si vous aimez l'équitation...

— Voilà qui pourrait m'intéresser... Je montais à cheval quand j'étais petite.

— Alors il faut que nous allions faire une promenade ensemble...

— C'est Shelley Grayle qui s'occupe des chevaux ? dit Gloria Hale sur un ton paisible.

— Non. Vous connaissez Shelley ?

— Oui. Nous avons été d'excellents amis... A propos de cheval, pourrions-nous en faire ce soir ?

Jay fit un léger signe de tête. Gloria Hale remarqua qu'il était adressé à une jeune fille boulotte qui avait fait elle-même un signe discret à son compagnon du moment. Entre les deux, son cœur balancerait-il ?

— Bien entendu ! dit Jay. Changez-vous après le dîner et je vous montrerai certaines de nos plus belles pistes.

« Quel plaisir ce sera de faire du cheval en compagnie de cet homme-là ! » pensa Gloria Hale. Et si Shelley les apercevait, peut-être serait-il pris de jalousie ?

S'étant vêtue d'un pantalon en toile et d'une chemise blanche, Gloria Hale alla retrouver Jay.

Celui-ci portait une tenue d'équitation.

Son visage s'illumina lorsqu'il la vit.

— Aux écuries ! lança-t-il.

Il lui prit le bras et l'entraîna.

Le soleil couchant faisait d'étranges figures quand ils sortirent.

Ils allèrent jusqu'aux écuries.

Là, Jay choisit pour elle une petite jument nommée Comet et Mike, le garçon d'écurie, la sella.

Jay, lui, allait monter son cheval favori : Star.

— Tout ceci est très astronomique, dit-il en aidant Gloria à se mettre en selle.

L'air était froid et vivifiant et Gloria Hale découvrit vite combien il était agréable de trotter le long d'une piste sombre.

Elle aimait bien Jay. C'était un bel homme et il lui serait bien utile quand elle serait désœuvrée... Certes, elle était là pour poursuivre Shelley, mais Jay pourrait faire agréablement diversion. En tout cas, elle allait peut-être savoir ce qu'avait fait Shelley depuis qu'il était à *Blue Harbor*...

— Quelles sont les fonctions de Shelley ? demanda-t-elle à son compagnon.

Jay plissa le front légèrement. Il n'avait pas souhaité parler d'un autre homme...

— Il est chargé de l'entretien du parc et de l'équipement. En quelque sorte, il est un homme à tout faire. C'est un bon travailleur, très régulier. Sans doute est-il un peu terne, mais Julian et ma sœur l'apprécient.

— A-t-il toujours travaillé dans un hôtel ?

— Non. Je crois qu'il a été artiste peintre. Mais, il a connu un gros chagrin d'amour et il a échoué ici. Julian connaît bien son histoire, lui.

Un sourire vint flotter sur les lèvres de Gloria...

Ainsi Shelley avait été très éprouvé par son refus de l'épouser ! Et il n'avait pas pu s'en remettre...

— Où habite-t-il ?

— Dans une maisonnette qui se trouve dans le parc... Je me permets de vous donner un conseil : ne cherchez pas à le rencontrer. C'est un homme qui n'apprécie pas la compagnie... Vous avez dit que vous aviez été des amis ?

— Oui. Je lui ai déjà parlé, vous savez...

— Restez-en là ! Par ailleurs, les propriétaires de *Blue Harbor*, qui sont ma sœur et son mari, voient d'un mauvais œil tout contact entre un client et un employé...

— Mais, ne suis-je pas avec vous, Jay ? dit en souriant Gloria Hale.

Jay accusa le coup, mais il se reprit vite...

— Je dois veiller à ce que les clients ne s'ennuient pas, moi. Je suis chargé des distractions, vous le savez bien !

Elle fit aller plus rapidement Comet.

— On fait la course jusqu'à ce grand pin, au tournant ! lança-t-elle.

La petite jument gagna facilement.

Gloria se dit qu'il était aussi du devoir de Jay Crane de respecter l'orgueil des hôtes de *Blue Harbor*.

Ils s'arrêtèrent à proximité d'un bouquet de peupliers.

Il faisait nuit à présent.

Elle sentit avec plaisir la pression du bras de Jay Crane lorsqu'il l'aida à descendre de cheval.

Elle s'y appuya juste ce qu'il fallait.

Jay la regarda d'un regard d'une grande intensité.

Ils allèrent à pied jusqu'au bord du lac et regardèrent l'eau qui scintillait sous la lune.

En remontant le sentier, Gloria fut prise soudain du désir de voir Shelley. Il était temps qu'elle lui donnât une deuxième leçon. Maintenant qu'elle avait Jay dans son jeu...

Quand ils furent à la porte de l'hôtel, elle prétendit qu'elle avait une légère migraine.

— A demain, Jay ! dit-elle dans un grand sourire.

— Si votre mal de tête disparaissait, sachez, Gloria, que je serai dans le grand salon...

Dès qu'elle fut sûre que personne n'était dans les parages, Gloria repartit...

Elle finit par découvrir la maisonnette où logeait Shelley...

Il n'y avait pas de lumière, mais elle frappa à la porte.

Shelley ne répondit pas.

Elle était extrêmement déçue...

Elle ne pouvait que rentrer à l'hôtel.

Elle monta à sa chambre discrètement, se doucha, mit une robe.

Que faire sinon aller rejoindre Jay ?

Elle l'aperçut en entrant dans la pièce. Il était en compagnie de cette jeune fille... Sans doute lui serait-il reconnaissant de l'en débarrasser ! Tout sourire, elle s'avança...

CHAPITRE IX

Deux jours avaient passé depuis l'arrivée de Gloria Hale. Lynn s'occupait toujours bien de sa boutique, mais elle était préoccupée. Deux fois, elle avait vu Gloria Hale dans le parc, attentive. Il était évident qu'elle était à la recherche de Shelley.

Elle-même ne l'avait vu qu'une seule fois. Elle était allée à sa maisonnette. Porte et fenêtres étaient fermées. Il n'avait ouvert que parce qu'il avait reconnu sa voix...

« Je me cloître pour une bonne raison, avait-il dit. Mais, vous, vous serez toujours la bienvenue, Lynn. J'étais justement en train de penser à vous... »

Lorsqu'elle était entrée, elle avait tout de suite vu le chevalet et la toile qu'il était en train de peindre. Un fond de forêt...

« Shelley, vous vous y êtes remis ! » s'était-elle écriée, ravie.

« C'est ce que je vous avais promis, non ? Je n'allais pas manquer à ma parole, Lynn... »

« Vous n'aviez pas vraiment promis, Shelley... »

« En tout cas, je vais continuer. Je suis un peu rouillé, mais je sens que « ça » revient. (Shelley s'était passé les doigts dans les cheveux, nerveusement.) Je vais continuer, Lynn, parce que c'est le seul moyen que j'ai de m'en sortir... »

« Avez-vous vu Gloria Hale, Shelley ? »

« Oui, malheureusement ! (Le regard de Shelley était devenu sombre.) Elle est venue demander un bateau... Elle est intelligente, Lynn, et je ne peux nier qu'elle... m'impressionne encore ! »

« Mais, vous n'êtes pas amoureux d'elle, n'est-ce pas, Shelley ? »

« Non ! Je ne sais comment vous expliquer, Lynn... Disons que je ne suis pas guéri... Et je ne sais pas si je guérirai jamais ! »

« Mais, Shelley, avec le temps... »

« J'espère que vous avez raison, Lynn... (Shelley était allé devant le chevalet.) Je vais terminer ceci ce soir et vous pourrez l'exposer dans votre précieuse boutique. Peut-être que si cette toile se vend rapidement, cela me stimulera... »

Ils avaient avalé les sandwichs qu'elle avait apportés tout en bavardant, mais elle s'était bien rendu compte qu'il restait tendu.

Pour l'instant, Lynn était en train de disposer ses bijoux. Mais, elle avait l'esprit ailleurs.

Jay lui avait rendu visite la veille, comme il l'avait annoncé.

Il avait arpenté la petite pièce comme un lion en cage.

Puis, il avait dit :

« Allons faire une promenade pour respirer un peu, Lynn ! »

Elle aussi avait envie de sortir.

Il l'avait conduite sur un étroit chemin.

Là, il l'avait prise dans ses bras et l'avait embrassée, mais elle était restée sans réaction.

Il l'avait presque immédiatement lâchée.

« Que se passe-t-il, Lynn ? » avait-il demandé calmement.

« Je suis fatiguée, avait-elle répondu. Et j'ai encore beaucoup de travail. »

Jay n'avait rien trouvé à répliquer à cela.

Il avait allumé une cigarette et démarré.

« Il faut que je rentre, Lynn ! Le grand salon ne désemplit pas et je dois donner une leçon de tennis de table à 21 heures... »

Son intuition avait soufflé à Lynn que l'élève serait Gloria Hale...

« Est-ce que Gloria Hale se plaît à *Blue Harbor*, Jay ? »

« Elle se plaît beaucoup ! avait répondu Jay

sans hésiter. C'est à cause d'elle que je dois rentrer... »

Il l'avait raccompagnée et était reparti sans attendre.

Elle avait été contente qu'il s'en fût allé. Elle était trop préoccupée au sujet de Shelley pour apprécier la compagnie de qui que ce fût.

Shelley vint la détourner de ses pensées.

Il lui apportait le tableau.

— Voilà ! dit-il. J'ai tenu ma promesse...

— Une partie seulement... Vous aviez dit que vous continueriez.

— Est-ce bien moi qui ai dit cela ?...

Shelley souriait...

— Vous allez continuer, n'est-ce pas, Shelley ?

— Je ferai ce que je pourrai... Mais, prenez cela et laissez-moi partir, Lynn !

Après que Shelley fut parti, Lynn plaça la toile dans le coin, près de la fenêtre, et l'examina.

Ce tableau était meilleur que les deux précédents !

Quand elle releva la tête, Lynn vit Gloria Hale, qui était devant le comptoir.

Celle-ci était vêtue d'une robe bleue qui lui allait à merveille.

Elle souriait largement.

— Bonjour, mademoiselle Baylon ! lança-t-elle. Je vois que vous avez quelque chose de nouveau...

Comment Gloria Hale n'aurait-elle pas remarqué le tableau !

— Quoi donc ? dit Lynn sottement.

— Cette toile, là, près de la fenêtre. Elle ne peut être que de Shelley Grayle ! Je connais bien sa manière...

Il eût été vain de mentir...

— C'est bien de Shelley Grayle... Je l'expose à son seul bénéfice...

Le sourire de Gloria Hale s'élargit.

— Que c'est gentil à vous ! s'écria-t-elle. Je suis certaine que Shelley apprécie vos efforts. Et je suis heureuse qu'il soit revenu à son... premier amour. C'est un artiste exceptionnel...

— Seriez-vous intéressée par ce tableau ? demanda Lynn, poussée par un démon intérieur.

— Seigneur non ! J'ai assez d'œuvres de lui, qu'il a faites à ma seule intention...

Gloria Hale avait parlé sur un ton doux, mais l'expression de son regard avait été un instant très dure.

— En fait, je suis à sa recherche ! ajouta-t-elle. Je crois qu'il travaille à l'appontement. Ce cher Shelley ! Nous étions si proches l'un de l'autre, il y a quelques années. J'ai envie de renouer avec lui, voyez-vous...

Lynn sentit la colère lui venir.

Mais, pouvait-elle s'attaquer à visage découvert à une cliente de *Blue Harbor* ?

— Je m'en vais, dit Gloria Hale. Passez une
bonne journée, mademoiselle Baylon !

Lynn la regarda s'éloigner, mince silhouette
élégante, et une idée lui vint à l'esprit. Elle pourrait s'absenter quelques minutes !

Elle prit un raccourci et se trouva bientôt au
bord du lac.

Shelley était en train de travailler à la cons-
truction d'un nouvel appontement.

— Bonjour ! dit-il avec un sourire lorsqu'il
l'eut vue. Quel plaisir inattendu !

— Je suis en mission, Shelley ! Gloria Hale
est en route et je...

— Et vous êtes ici pour servir de « tampon »
entre nous deux, c'est bien ça ?

— Oui, Shelley. En ma présence, il lui sera
plus difficile de planter ses griffes.

— C'est vrai ! La voilà...

Gloria était évidemment mécontente de trouver Shelley en compagnie. Néanmoins, elle dissi-
mula son irritation derrière un sourire.

— Mademoiselle Baylon, comment avez-
vous pu arriver aussi rapidement ?

— J'ai apporté un message à monsieur
Grayle...

Lynn n'avait pas répondu à la question...

— Alors..., fit Gloria Hale.

C'était aussi clair que si elle avait dit : « Eh bien, remettez-le-lui et laissez-nous ! » Mais, Lynn fit celle qui n'avait pas compris.

Shelley s'était remis au travail, frappant allègrement du marteau.

Lynn se demandait combien de temps elle pourrait rester là...

La chance fut de son côté, car Jay arriva à ce moment-là.

Il sourit à Gloria Hale.

— Chère amie, dit-il, je vous ai attendue sur le bord de la piscine... Aviez-vous oublié ?

« Que Dieu te bénisse, Jay ! pensa Lynn. Tu es arrivé au moment opportun ! »

Gloria tira le meilleur parti de la situation. Elle mit la main sur le bras de Jay et dit :

— J'allais à la piscine, Jay, mais j'ai eu envie de jeter un coup d'œil sur le lac.

Jay eut un petit mouvement vers Lynn, comme s'il voulait lui faire comprendre que, s'il apprenait à nager à Gloria Hale, c'était parce qu'il le devait...

Gloria se tourna vers Shelley.

— A tout à l'heure ! lança-t-elle.

Shelley retira son chapeau et s'essuya le front avec un mouchoir.

— Sauvé par le gong ! dit-il avec désinvolture.

Lynn voyait pourtant qu'il était tendu et que ses mains tremblaient.

Shelley la regarda bien en face.

— Laissez-moi vous remercier, Lynn, de tous vos efforts ! Vous êtes toujours là quand il le faut... Il y a un petit restaurant où l'on peut danser, juste un peu plus loin sur la route, le *White Stag*. Permettez-moi de vous y emmener ce soir...

— Alice Snow...

— Aucun problème ! En réalité, Alice Snow ne pense qu'à son frère... Elle ne se préoccupe ni de vous ni de moi !

— J'accepte, Shelley !

— Parfait ! Je passerai vous prendre à 20 heures et... je ne vous ferai pas rentrer trop tard.

Lynn fit un grand chignon de ses cheveux bruns. Elle revêtit une robe bleue qu'elle n'avait jamais portée.

Elle se dit qu'elle était impatiente d'être tête-à-tête avec Shelley. Mais lui, en l'invitant, ne visait-il pas seulement à se mettre hors de portée de Gloria Hale ?

Il fut précis : à 20 heures il frappait à la porte.

Il portait un costume bleu sombre qui lui donnait fière allure, et il souriait franchement.

— Votre cavalier est là, Lynn ! lança-t-il.

— La damoiselle est prête, répondit-elle sur le même ton.

Le *White Stag* se trouvait assez loin de la grand-route. C'était un long bâtiment blanc auquel menait une petite route qui serpentait dans la forêt.

Lynn n'était jamais venue là.

L'intérieur était rustique, avec ses murs sombres et ses petites tables couvertes d'une nappe blanche. Des musiciens se tenaient sous un dais.

Shelley choisit une table qui était assez près de l'orchestre et lui avança une chaise. Elle pensa qu'il était un cavalier accompli...

Lorsque Shelley lui proposa de danser, elle accepta avec empressement. Elle découvrit qu'il était aussi un excellent danseur.

Elle réalisa que son compagnon était détendu et elle le lui fit remarquer quand ils revinrent à leur table.

— Avec vous, Lynn, j'arrive à oublier mes problèmes... En tout cas, pour le moment, ils sont bien loin !

Ils mangèrent et bavardèrent joyeusement.

Soudain Shelley devint sombre.

— Je savais bien que c'était trop beau pour durer ! dit-il.

Lynn regarda vers la porte...

Gloria les avait aperçus et elle paraissait extrêmement surprise. Jay, lui, semblait surtout embarrassé.

Ils s'approchèrent et Gloria dit, d'une voix calme et mesurée :

— Apparemment, cet endroit est familier aux gens de *Blue Harbor* !

Shelley se leva et se tint de façon gauche près de la table.

— C'est un lieu public, répliqua-t-il.

Il ne les invita pas à se joindre à eux et ils s'éloignèrent pour s'installer un peu plus loin.

La jolie petite tête de Gloria se tournait sans cesse vers Lynn et Shelley et elle les observait d'un regard aigu.

Lorsque l'orchestre reprit, Shelley tendit la main à Lynn :

— Montrons-leur comment on fait ! dit-il.

Lynn savait combien ces mots lui avaient coûté ; il était visiblement malheureux que Gloria fût là.

— Si vous voulez que nous nous en allions, Shelley...

— Ce serait accepter la défaite, répondit-il en secouant la tête. Or, je suis contraint à me battre, vous le savez bien...

Il se déplaçait avec autant de grâce que précédemment, mais il était tendu.

Il pressa la joue contre la chevelure de la jeune fille et murmura :

— Ne m'abandonnez pas, Lynn !

L'orchestre s'arrêta un instant, puis il entama un fox-trot.

Jay et Gloria furent bientôt à côté d'eux et Jay « proposa » d'échanger les partenaires. Il prit Lynn dans ses bras tandis que Gloria allait à Shelley.

« Que va-t-il se passer ? » se demanda Lynn avec angoisse.

Shelley avait été pris au piège ; réussirait-il à se libérer ?

Puis, elle fut absorbée par les pas compliqués dans lesquels Jay l'entraînait et elle perdit de vue Shelley et Gloria. Quand elle les revit, la joue de Gloria effleurait celle de Shelley...

Elle ne pouvait interpréter l'expression de Shelley. Mais Gloria, elle, rayonnait d'une façon qui lui parut indécente.

— Ainsi, tu as trouvé le temps de quitter ta table de travail ! lui souffla Jay à l'oreille. Je suis vraiment surpris, Lynn... Pour moi...

— Je ne suis venue que pour un moment, répliqua-t-elle.

Elle savait cependant que cela ne voulait rien dire...

— Ne t'excuse pas ! Je ne te reproche pas de faire plaisir à ce vieux Shelley quand j'ai autre chose à faire... Mais, n'oublie pas que tu es à moi.

Lynn se sentit rougir. Certes, elle avait cru qu'elle commençait à s'éprendre de lui, mais, depuis sa course éperdue dans l'île...

Quand la danse eut pris fin, tous quatre furent entraînés dans une petite bousculade.

Shelley en profita pour saisir le bras de Lynn et l'entraîner vers leur table. Il était blanc comme un linge.

— Ça va ? demanda-t-elle.

— Ça va... Mais, allons-nous-en ! Il y a beaucoup trop de monde maintenant.

Ils partirent aussitôt.

La lune argentait les arbres et les pins se dressaient comme des clochers. Parfois de petits animaux s'enfuyaient, effrayés par la lumière des phares. Une chouette traversa deux fois la route, glissant sur ses ailes de velours. Un craquement, qui couvrit le bruit du moteur, leur rappela qu'il y avait aussi de gros animaux.

Lynn sentait que Shelley se détendait en conduisant. Pourtant, il fallait absolument qu'elle sût comment il avait supporté de danser avec Gloria.

— Shelley, était-ce pénible ?

Lorsqu'il parla, ce fut d'une voix dure :

— Oui. Quand je l'ai sentie dans mes bras,

tout m'est revenu et pendant un moment j'ai même pu penser que je l'aimais encore.

— Oh non ! dit-elle doucement.

— Mais, après la danse, reprit-il bien vite, j'ai pu me détacher d'elle... Mais je ne suis pas guéri, Lynn, pas de la manière dont je le souhaiterais. Elle a toujours le pouvoir de m'attirer...

— Mais avec le temps...

— Je l'espère. En tout cas, j'ai envie de continuer à lutter, ce qui veut dire qu'il y a encore de l'espoir. Il y a un an, je ne me serais pas battu, j'aurais été immédiatement à sa merci...

Il prit un large tournant au bord duquel se trouvait un pin géant.

— Je vais vous raccompagner, Lynn. Ne vous avais-je pas promis de ne pas vous faire coucher tard ?

— Je suis heureuse que nous soyons allés au *White Stag*, Shelley ! Au moins, vous avez fait le premier pas.

— En êtes-vous sûre, Lynn ?

— Absolument ! s'écria-t-elle, voulant lui redonner confiance. Et vous allez continuer à lutter jusqu'à ce que vous soyez complètement libéré de l'emprise de Gloria !

— Je ne peux qu'espérer que vous ayez raison !

La maison de Lynn apparut dans les deux traits de lumière projetés par la voiture.

Shelley laissa Lynn après avoir eu un geste qui la toucha : il lui avait pris la main et avait déposé un baiser dans sa paume.

— Merci d'être ce que vous êtes ! avait-il dit.

Et il s'en était allé.

Elle resta sous le porche et regarda la lueur rouge de la voiture aussi longtemps que cela fut possible.

Bizarrement, elle se sentit seule. Elle regrettait qu'il ne fût pas entré. Ils auraient été ensemble quelques minutes de plus...

Shelley conduisait lentement sur le chemin du retour : il n'était pas pressé d'être à *Blue Harbor*. Il connaissait Gloria : elle allait essayer de demeurer dans la lumière des projecteurs. Il se dit que Lynn aurait peut-être aimé rester plus longtemps au *White Stag*, mais il avait voulu s'éloigner de Gloria.

En dansant, en tenant Gloria dans ses bras, il était revenu en arrière. Il s'était retrouvé à l'époque où il l'aimait, où il croyait qu'elle l'aimait. Ils allaient alors d'une réception à l'autre, heureux ; ils faisaient du bateau et elle se tenait toujours tout près de lui quand il était à la barre ; ils dansaient, toujours joue contre joue...

Les souvenirs lui revenaient rapidement, nombreux...

Lorsqu'elle s'était trouvée dans ses bras, ce soir, il avait souffert et il savait qu'elle s'était réjouie de pouvoir encore le faire souffrir. Le fait que Lynn fût là lui avait permis de ne pas perdre la face.

Chère Lynn !

Pendant un instant, il vit son joli visage sur la route...

Il rangea la voiture assez loin de la maisonnette, de façon qu'on ne pût pas la voir de l'hôtel. Gloria ne viendrait probablement pas le relancer sitôt rentrée, mais avec une telle femme il ne serait jamais assez méfiant !

Quand il fut chez lui, Shelley s'effondra sur une chaise. Il avait l'esprit trop troublé pour penser à aller se coucher...

Il éteignit sa cigarette, se leva.

Quelques instants après, il était devant le chevalet, tenant la palette d'une main et un pinceau de l'autre...

Il avait choisi de représenter un sentier forestier au coucher de soleil et les couleurs venaient facilement sous son pinceau. Le décor était planté, beau dans sa simplicité, mais ce n'était qu'un décor !

Il esquissa une femme, juste dans le tournant du sentier.

Quand il eut terminé, il se recula. Cette femme était Lynn ! Il avait donné le visage de

Lynn à son personnage inconsciemment, se dit-il. Pourtant, il était satisfait. Il sourit... Lynn aussi allait être satisfaite et, en bonne petite femme de tête, elle exposerait le tableau dans la boutique avec l'espoir de le vendre...

Il nettoya ses pinceaux, rangea sa palette.

Il était très tard et il aurait dû dormir, mais les pensées se pressaient encore dans sa tête...

Pourquoi avait-il donné à son personnage le visage de Lynn ? Autrefois, c'était toujours Gloria qui lui servait de modèle et elle se rengorgeait de cela. Serait-ce Lynn dorénavant ?

Il alla se coucher et s'endormit aussitôt.

CHAPITRE X

Le matin, Shelley vint à la boutique, un paquet sous le bras. Il hésita un moment, puis il présenta la toile à Lynn.

— Shelley, c'est merveilleux ! s'exclama Lynn.

Elle examina attentivement le tableau et rougit.

Elle venait de se reconnaître. Shelley se demandait avec anxiété quelle serait sa réaction ?

— Je suis heureuse que vous m'ayez placée là, Shelley. Cela veut dire...

Lynn s'était arrêtée net.

— Je sais ce que vous pensez, Lynn... En fait, Gloria est exclue de ma peinture. Je n'aurais jamais pu m'y remettre s'il n'en avait pas été ainsi. Je vous suis reconnaissant, Lynn, très reconnaissant !

— Et je suis très heureuse pour vous, Shelley !

— Lynn, notre soirée s'est terminée brutale-
ment, mais je suis content d'avoir été avec vous.
(Shelley parlait lentement.) Recommencerons-
nous ?

— Avec joie, Shelley !

— Maintenant, il faut que je m'en aille. Il y a
une stalle à réparer aux écuries. Je vais y travailler toute la matinée.

Shelley laissa Lynn à regret.

Si seulement il avait pu s'éprendre de quelqu'un comme elle !... Il n'était pas impossible
qu'un jour il s'éprît à nouveau... Il faudrait qu'il
fût délivré de Gloria absolument !

Shelley avait travaillé dur et il ne lui restait
plus qu'une planche à placer. Cela fait, il se ren-
drait à la maisonnette avec l'espoir que Lynn l'y
rejoindrait.

Une ombre se profila. Sans doute Julian
Snow venait-il voir où il en était...

Il se retourna et sursauta : c'était Gloria qui
se tenait dans l'encadrement de la porte, auréo-
lée par le soleil. Elle souriait.

— Bonjour ! fit-elle.

— Comment as-tu...

— Comment je t'ai trouvé ? Je t'ai vu venir
par ici ce matin avec des outils et j'ai entendu
Jay dire qu'il y avait des réparations à faire dans

l'écurie... J'ai pensé que je pourrais te faire une petite visite...

— J'ai du travail, Gloria...

Shelley avait dit cela d'une voix tremblante. Gloria s'approcha de lui.

— Shelley, pourquoi m'évites-tu ? A un moment tu serais venu me chercher au bout du monde, et j'étais très heureuse qu'il en fût ainsi. Maintenant...

— Aujourd'hui, Gloria, ce n'est pas hier !

Gloria rit, mais son rire sonnait faux.

Elle posa la main sur le bras de Shelley.

— Je t'en prie, Shelley ! Je voudrais que tout soit comme avant. Je veux que nous soyons proches l'un de l'autre et je sais qu'au fond de toi-même tu désires la même chose. Ose dire que ce n'est pas vrai !

Shelley n'osa pas.

— Tu m'as manqué, Shelley, plus que tu ne peux le penser ! Je veux sentir tes bras autour de moi ! J'ai besoin de tes baisers !

— Arrête ! s'écria-t-il.

Alors elle se coula entre ses bras d'un mouvement souple et mit les mains derrière son cou. Elle posa ses lèvres tendres contre celles de celui qui n'avait su la fuir.

Mais, il ne répondit pas à son attente.

Gloria accentua la pression de ses lèvres...

C'est à cet instant précis que Lynn pénétra dans l'écurie.

Shelley la vit devenir livide.

Ils étaient là, tous les trois immobiles, comme les personnages d'un tableau.

Shelley réussit à repousser Gloria et le regard de celle-ci devint haineux.

— Lynn ! souffla Shelley.

— Je suis désolée de vous... déranger, mais monsieur Snow a besoin de vous. Il y a une grosse fuite dans le grand salon. Il est en train de s'en occuper, mais il ne peut y arriver seul...

Lynn avait parlé d'une voix faible mais qui ne tremblait pas.

Gloria lâcha des paroles venimeuses :

— Comme vous tombez mal, ma chère ! Nous étions justement en train de faire revivre notre ancienne... amitié.

Shelley se détourna brusquement d'elle et prit sa boîte à outils.

— Ce n'est pas ce que vous avez cru ! dit-il à Lynn.

Puis, il s'en alla.

Il entendit bientôt un bruit de pas.

Laquelle des deux le suivait ?

— Attendez, Shelley !

C'était Lynn...

Il ralentit et elle le rattrapa.

— Je ne venais pas vous espionner, Shelley !

— Je n'en ai pas douté, Lynn !... Gloria s'est mise de force dans mes bras, sachez-le ! Je ne m'y attendais pas...

Il s'arrêta brusquement. N'aurait-il pas pu la repousser ?

En tout cas, Lynn les avait surpris !

— Ce que vous avez vu ne représentait rien pour moi, dit-il. Gloria m'avait surpris et c'est alors que vous êtes arrivée...

— Vous n'avez pas de comptes à rendre, Shelley. En tout cas pas à moi.

— Je veux que vous compreniez, Lynn.

— Je comprends, Shelley, dit-elle en le regardant droit dans les yeux.

Que comprenait-elle, au juste ? Pensait-elle qu'il avait été surpris ou qu'il n'avait pu résister au charme de Gloria ?

Ils se remirent en marche.

Lynn trottinait, courant de temps en temps pour le rejoindre.

Gloria ne les avait pas suivis. Gloria ne se pressait jamais, Shelley le savait par expérience.

— Quoi qu'elle ait voulu, Lynn, elle a échoué ! Si j'avais été méfiant...

— Oh ! Shelley, pour l'amour du Ciel, taisez-vous donc ! dit-elle avec colère. Vous rendez pires les choses. Plus vous parlez, plus vous vous « enfoncez ».

Ils marchèrent en silence jusqu'à l'hôtel.

— Permettez-moi de passer ce soir, dit alors Shelley, d'une voix suppliante. Je veux vous parler.

Ce fut d'une voix suppliante que Lynn répondit :

— Vous vous êtes déjà expliqué, Shelley.

— Mais, Lynn, il est très important pour moi que je vous parle. Vous êtes la seule personne qui ait essayé de me faire sortir de l'abîme où je me trouvais à cause de Gloria. Je vous en prie !

Elle eut un léger haussement d'épaules.

— Si c'est tellement important pour vous... Mais, juste un petit moment...

Il parut soulagé.

— Merci ! dit-il. Je serai chez-vous à 20 heures.

Il entra dans le grand bâtiment où Julian Snow l'attendait.

Pendant une heure, il n'eut le temps de penser ni à Lynn ni à Gloria. Les deux hommes eurent besoin de toute leur ingéniosité pour parer au plus pressé. Il fallut encore deux heures pour que tout fût en ordre.

Alors Shelley put revenir à ses problèmes personnels.

Il était impatient de retrouver Lynn.

Il fallait qu'elle sût qu'il était en train de guérir de son amour pour Gloria ! Mais, un petit doute flottait dans son esprit. Pouvait-il affirmer qu'il saurait résister éventuellement aux attaques de Gloria ?

Cette question le lancinait pendant qu'il terminait son travail dans l'écurie, ce soir-là.

Heureusement, Gloria ne se manifesta pas...

Lynn était au travail quand Shelley arriva. Il la voyait par la fenêtre, la tête penchée sur son ouvrage.

Elle alla lui ouvrir.

— Entrez, Shelley ! dit-elle. Je vous attendais.

— Je suis venu dès que je l'ai pu, Lynn.

Ils s'assirent sur le divan et restèrent un moment silencieux.

Shelley « se lança » enfin :

— Je crois — je dis bien je crois — que je suis entré en convalescence.

Il vit une expression se dessiner sur le visage de Lynn ; cela ressemblait à de l'espoir.

— Si elle pouvait s'en aller ! dit-elle.

— Cela m'aiderait, en effet... Je pense qu'elle s'en ira quand elle aura pris conscience de l'inutilité de ses efforts...

— Ou bien, si elle pouvait s'intéresser à quelqu'un d'autre, Shelley...

— Oui. Je crois qu'elle est attirée par Jay, qui est toujours « disponible »...

Shelley regarda Lynn attentivement. Aurait-elle de la peine si elle voyait Jay subjugué par Gloria — ou par une autre ? Mais, son visage n'exprimait aucune émotion. Elle n'était donc pas amoureuse de Jay ! Peut-être même ne lui avait-il jamais vraiment plu. Mais, il avait besoin d'en être certain.

— Vous et Jay, vous avez été proches, Lynn... A un moment, j'étais presque certain que vous alliez vous éprendre de lui...

— Je l'aimais bien, Shelley, répondit Lynn en hochant la tête. Cela aurait pu se transformer en quelque chose de plus profond, mais ce qui s'est passé dans l'île m'a ouvert les yeux. Il s'est montré sous son véritable jour... J'ai perdu quelque chose..., sans doute le respect que j'avais pour lui. Je continue à bien l'aimer... On ne peut demander aux gens d'être différents de ce qu'ils sont, n'est-ce pas ? Mais, je ne pourrai jamais l'aimer.

— J'en suis heureux ! dit Shelley, soulagé. Je souhaite que vous vous épreniez de quelqu'un de très bien, Lynn.

— Je vous renvoie la balle, Shelley.

— Voyez-vous, Lynn, Gloria a fait partie intégrante de ma vie... Les quatre années que j'ai passées sans elle, j'ai vécu un enfer. Je me disais que je ne pouvais rien faire sans elle. C'est pour cela que j'ai abandonné la peinture.

— Mais, vous vous y êtes remis, Shelley ! dit Lynn avec enthousiasme. Vous pouvez peindre sans qu'elle soit là...

— Oui, jusqu'à un certain point. Peut-être que plus tard...

Quelques minutes après, Shelley souhaita à Lynn de passer une bonne nuit.

Il garda sa petite main douce un instant dans la sienne. Il était détendu avec elle. Il en oubliait presque Gloria !

S'il avait pu en être ainsi tout le temps !

Il aurait fallu pour cela que Gloria abandonnât la partie. Mais, la séduisante Gloria était une sans-cœur...

Il était facile de se promettre d'être ferme. Shelley se souvint d'un proverbe : « Ce que femme veut, Dieu le veut. »

Cette fois encore Shelley revint en roulant lentement, et il plaça la voiture à l'abri des regards.

Il rentra dans la maisonnette rapidement et ferma la porte à clé.

Il ne donna pas de la lumière. Si jamais Gloria le guettait... Elle était capable de bien des tours !

Il alla jusqu'à son lit, se mit en pyjama, se coucha.

Il ne tarda pas à s'endormir.

CHAPITRE XI

Gloria feuilletait le journal, nerveuse. Elle ne pourrait mettre son plan à exécution qu'une heure plus tard...

Elle savait que Shelley était gêné par ce qui s'était passé dans l'écurie. La petite demoiselle de la boutique y était pour quelque chose... Ah ! si cette demoiselle n'avait pas fait irruption, elle aurait gagné la partie ! Celle-là !

Il était clair qu'elle avait un faible pour Shelley. Cela se lisait sur sa figure... Comme elle s'était lancée après lui !

Après le petit déjeuner, elle irait à la boutique et elle ferait une mise au point qui, pensait-elle, ferait revenir la demoiselle à une vision plus réaliste de la situation. Elle voulait que Shelley lui revînt et il lui reviendrait !

Elle en avait assez de Bob Dixon et de sa musique ! Mais lui tenait à elle. Si elle lui téléphonait de *Blue Harbor* pour lui demander de venir, il n'hésiterait pas un instant... Elle lui avait dit qu'elle avait besoin de vacances, mais elle n'avait pas indiqué où elle irait.

Elle avait mis son plan au petit matin, alors qu'elle était dans son lit...

Elle avait vu l'île et elle s'était dit qu'elle pourrait s'y faire conduire par Shelley. Evidemment, il faudrait que quelqu'un d'autre qu'elle le lui ordonnât. Il faudrait aussi que l'attention de Jay fût détournée...

Si elle jouait bien...

Elle mit un pantalon bleu et une chemise blanche, se coiffa et se maquilla avec beaucoup de soin.

C'était enfin l'heure du petit déjeuner !

Elle était à peine installée dans la salle à manger que Jay arrivait.

Il s'assit en face d'elle, l'air sombre.

— Je vais avoir une journée chargée, dit-il. L'hôtel est plein et je vais avoir mille choses à faire.

Gloria fit mine d'être déçue.

— Alors je ne vais peut-être pas vous voir de la journée ?... En tout cas nous ne serons jamais seuls !

— C'est ça, ma jolie ! dit Jay avec un sourire triste. Peut-être tard, ce soir, si tout va bien. Nous pourrions aller faire un tour en voiture si...

— Si mademoiselle Baylon n'a pas besoin de vous... J'ai vu que vous aviez une certaine inclination pour elle...

Jay rougit.

— Vous vous trompez ! Il n'y a rien entre nous de ce que vous imaginez ! Nous sommes simplement deux employés.

— Au revoir ! dit Gloria. Et... bon courage !

Jay serait donc trop occupé pour se soucier de savoir ce qu'elle faisait.

Perverse, elle pensa qu'elle se souviendrait de cette journée : elle s'attaquerait à Shelley l'après-midi et Jay la courtiserait le soir.

Sitôt qu'elle eut déjeuné, elle alla, d'un pas décidé, à la boutique.

La demoiselle était déjà là, en train de disposer sa marchandise, et Gloria examina sa rivale.

Elle prit négligemment un bracelet et le mit à son poignet.

— Bonjour, mademoiselle Hale ! dit Lynn sur un ton neutre.

— Bonjour ! répondit Gloria. (Elle tendit le bras pour que la lumière se reflétât sur le bracelet.) Je crois que je vais prendre celui-là. Il ira avec une de mes nouvelles robes... J'espère que Shelley a fini son travail de plomberie ? Je ne l'ai pas vu ce matin !

Lynn rougit et Gloria s'en réjouit : batailler l'excitait toujours.

— Je n'ai aucune raison de le savoir, mademoiselle Hale.

— Ce n'est pas bien grave, je le trouverai. J'ai hâte de reprendre la conversation que nous avions hier, dans l'écurie, et qui a été si brusquement interrompue...

— Shelley a beaucoup de travail, mademoiselle Hale !

Gloria sourit, mais elle commençait à trouver impertinente la demoiselle de la boutique.

— Il trouvera une minute pour moi, j'en suis certaine. Eventuellement, je m'adresserai à la direction. Comme je vous l'ai déjà dit, mademoiselle Baylon, nous sommes de vieux et très bons amis. Je suis venue ici uniquement pour rencontrer Shelley... Je ne permettrai à personne de se mettre sur mon chemin. Est-ce bien clair ?

Lynn devint écarlate.

— J'ai bien entendu, mademoiselle Hale. Mais, je pense que vous devriez cesser de poursuivre Shelley. S'il avait envie de vous voir, il saurait où vous trouver...

« La petite est touchée ! » se dit Gloria.

— Sachez que je connais Shelley mieux que personne, mademoiselle Baylon ! Il a besoin d'être encouragé. C'est quelqu'un de très timide, mais il vaut qu'on le secoue...

Gloria tendit des billets à Lynn. Elle remar-

qua le léger tremblement des mains de la jeune
femme quand celle-ci lui rendit la monnaie.

Elle suivit le long couloir jusqu'à la porte sur
laquelle se trouvait la pancarte *Direction*.

Elle frappa doucement et entendit une voix
masculine :

— Entrez !

Julian Snow était derrière un grand bureau ;
sa tête blonde était penchée sur un amas de
papiers. Gloria se dit qu'il était vraiment beau et
pendant quelques instant elle éprouva l'envie de
jouer de son charme. Mais elle était venue là
pour une tout autre chose !

— Bonjour, monsieur, dit-elle. J'ai une
faveur à vous demander...

Julian Snow découvrit ses dents blanches en
souriant.

— Laquelle, mademoiselle ? Nous cherchons
à être agréables à nos clients...

— Je voudrais qu'un de vos employés me
conduise jusqu'à l'île.

— Mademoiselle Hale, je suis certain que
monsieur Crane, qui s'occupe des distractions,
se fera un plaisir de vous accompagner. Il sait
conduire un bateau et connaît parfaitement l'île.

— Monsieur Crane est si sollicité que je m'en
voudrais...

— Alors...

— Je suis une ancienne amie de monsieur Grayle... Si cela était possible...

Julian Snow fronça les sourcils.

— Shelley est, lui aussi, fort occupé...

— Je vous en prie ! dit-elle en souriant.

Julian se détendit.

— Shelley mérite bien un après-midi de repos. Il travaille dur...

— Si vous pouviez lui en parler vous-même, cher monsieur...

— Je ferai cela dans les formes, soyez-en certaine, mademoiselle ! Il sera à votre disposition cet après-midi.

Gloria lui fit un sourire éblouissant.

— Merci mille fois, cher monsieur ! Je vous suis reconnaissante de votre compréhension...

— Il doit être descendu aux bateaux à cette heure-ci, dit Julian Snow, regardant sa montre. Je vais y aller et le mettre au courant, mademoiselle Hale.

Gloria était pleinement satisfaite lorsqu'elle sortit du bureau. Quand Shelley et elle seraient dans l'île...

Elle passa le reste de la matinée sur le bord de la piscine, car elle voulait bronzer.

Après avoir déjeuné, elle alla à sa chambre, échangea sa robe contre un short blanc et un chemisier bleu, car elle savait qu'elle était ainsi encore plus séduisante...

Elle descendit à pas lents jusqu'à l'appontement.

Shelley était penché sur l'un des canots. Il
était vêtu d'une salopette propre.

Quand elle fut auprès de lui, elle vit bien qu'il
était mécontent. Elle allait devoir jouer avec
adresse...

— Bonjour, Shelley ! dit-elle. Je suis prête
pour notre petite expédition...

Il lui tendit la main pour l'aider à monter.

— Alors allons-y ! s'écria-t-il. J'ai un certain
nombre de choses à faire avant ce soir.

— N'aie pas l'air si sombre, Shelley ! Ceci
devrait être une promenade d'agrément... Te
souviens-tu de tous nos pique-niques, Shelley ?
Nous nous sommes tant amusés, toi et moi !

— Je m'en souviens, Gloria... Mais c'était il y
a longtemps et le présent n'a rien à voir avec le
passé...

Gloria prit sa voix la plus doucereuse pour
dire :

— Moi, Shelley, je n'oublierai jamais ! Il me
semble que c'était hier...

Shelley mit le moteur en marche et le bateau
s'éloigna.

— Comment pourrais-tu oublier les merveilleux moments que nous avons vécus ensemble,
Shelley ? Moi, je n'ai rien oublié de ce qui faisait
notre vie !

— Je ne veux pas me souvenir ! dit Shelley sur un ton sec.

Elle continua aussi précautionneusement que si elle avait marché sur un lac gelé :

— Mais tu as dit, il y quelques secondes à peine, que tu te souvenais... Comment aurais-tu oublié, Shelley, toutes ces promenades au bord du lac des Ombres ? ou la fois où — rappelle-toi, nous étions assis au pied d'un saule pleureur — tu m'as dit que tu m'aimais ?

— Arrête ! dit-il doucement. Cesse de parler du passé.

Mais elle savait qu'elle venait de le toucher au cœur...

Ils étaient près de l'île et elle le laissa se concentrer sur la conduite du bateau. Elle avait tout le temps de revenir à la charge.

Adroitement, il conduisit le canot à une petite langue de terre.

Il arrêta le moteur, se leva et lui tendit la main.

Lorsqu'ils furent sur le sol tapissé d'aiguilles de pin, elle fit quelques pas et feignit de s'être tordu la cheville.

Instinctivement, Shelley se précipita.

Alors elle passa les bras autour de son cou et se serra contre lui. Elle leva la tête et posa les lèvres sur les siennes.

— Shelley, si tu savais comme tu m'as manqué ! murmura-t-elle.

Il la repoussa.

— Non, Gloria, tu ne dis pas la vérité ! Pendant ces quatre années, je ne t'ai pas manqué...

— Nous pouvons remonter le cours du temps, Shelley !

— Ce n'est pas possible ! Il s'est écoulé trop de temps, Gloria.

Gloria décida d'abattre son meilleur atout...

— Shelley, oserais-tu me dire que tu n'éprouves plus rien pour moi ?

Elle le vit s'assombrir et l'entendit balbutier :

— Je... Je n'éprouve... plus rien pour toi, Gloria.

Elle exulta.

— Tu sais que tu ne dis pas la vérité, Shelley ! Tu m'aimes, et tu m'aimeras toujours !

Shelley avait rougi, mais il se tenait loin d'elle, les bras ballants.

— Tu es orgueilleuse, Gloria... L'orgueil est presque une maladie... (Shelley parlait avec douceur...) Jamais je n'accepterai de vivre ce que j'ai vécu ! Je ne veux laisser personne, ni toi ni quelqu'un d'autre, gâcher ma vie de nouveau.

Il fit un pas.

— Maintenant, je vais te faire visiter l'île puisque c'est pour ça que nous sommes là...

— Shelley...

— Arrête, Gloria ! dit Shelley, sèchement. Je ne veux plus entendre parler de cela !

Elle le suivit sur le sentier qui serpentait dans l'île, frustrée et furieuse. Elle avait été certaine de sa victoire, mais il avait trouvé la force de la repousser... Autrefois, il aurait été incapable de faire quoi que ce fût sans elle !

Elle n'abandonnerait pas ! Il fallait que Shelley se soumît, qu'il l'adorât comme il l'avait adorée !

Une autre femme ne le détournait-elle pas d'elle ? Aurait-il un penchant pour la demoiselle de la boutique ? Si cela était, il fallait qu'elle agît au plus tôt !

Ils firent la visite de l'île pratiquement sans se parler. Shelley se contentait — aussi brièvement qu'il lui était possible — de faire remarquer les curiosités.

Gloria lui souriait de temps en temps, comme si elle voulait lui indiquer qu'elle ne lui tenait pas rigueur de l'avoir repoussée.

Elle voyait bien qu'il se tenait sur ses gardes. Il avait donc peur de succomber !

Ils revinrent au bateau et il l'aida à y monter.

— Tiens-toi bien ! dit-il. Nous allons faire de la vitesse... J'ai encore beaucoup de travail, tu le sais...

Elle se renfonça dans son siège.

Conduit de main de maître par Shelley, le bateau fonça.

Gloria ne se soucia pas du paysage. Tout au long de la traversée, elle n'eut qu'une seule idée : comment « reprendre » Shelley ?

CHAPITRE XII

Le matin, la pluie formait comme un voile entre le ciel et la terre. Lynn prit son petit déjeuner près de la fenêtre en appréciant l'aspect argenté des arbres et le calme du paysage. Elle fit rapidement la vaisselle et choisit ce qu'elle allait emporter ce jour-là.

Elle n'était pas en forme. Peut-être était-ce à cause de Shelley ? Certes, il avait promis de lutter. Mais, vaincrait-il ? Elle savait qu'il avait été contraint de faire visiter l'île à Gloria...

Julian Snow avait hoché la tête et lui avait dit :

« Il y a des clients vraiment très bizarres. Prenez cette demoiselle Hale ! Elle m'a obligé à demander à Shelley de lui faire visiter l'île. Or, Shelley n'avait vraiment aucune envie d'aller là-bas. J'ai cru un moment qu'il allait me rendre son tablier et s'en aller ! »

Julian Snow l'avait regardée attentivement. Son désarroi était-il visible ?

« Mais, pourquoi avoir demandé à Shelley de faire autre chose que son travail habituel, monsieur Snow ? »

« Je me suis posé la question, mais trop tard... Après tout, Jay aurait pu y aller ! »

Julian Snow avait haussé les épaules.

« Comme je le dis souvent, il ne faut pas chercher à expliquer les envies et les manies de nos chers clients. En tout cas, la fantaisie de mademoiselle Hale a mis Shelley en retard dans son travail ! Je le regrette car il travaille déjà bien assez comme ça ! »

Il pleuvait toujours et la grande entrée était encombrée de gens qui ne savaient que faire. Beaucoup venaient à la boutique pour regarder les bijoux ; certains achetaient.

La matinée s'écoula trop vite pour que Lynn eût le temps de regarnir son étal. Elle était contente d'avoir bien vendu et parallèlement elle pensait à Shelley.

Elle se morigéna de tant penser à lui ! Après tout, n'était-il pas assez grand pour se défendre seul ? Elle sourit. Elle pensait qu'il ne l'était pas...

Lynn aperçut Gloria deux fois. La seconde, Jay la rejoignit, ils s'entretinrent un moment, et ils s'en allèrent.

Lynn se demanda si Gloria était véritablement attirée par Jay ou si elle cherchait à éveiller la jalousie de Shelley.

Jay allait répondre partiellement à cette question une heure plus tard.

Il s'approcha avec un grand sourire.

— Bonjour, ma belle ! dit-il. C'est vraiment un jour à rester dedans, non ? Gloria m'a demandé de l'accompagner jusqu'au hangar à bateaux. Elle a dit qu'elle aimait à marcher sous la pluie.

— Shelley était là, n'est-ce pas ?

— Oui. Il est en train de travailler sur deux canoës... Elle l'a remercié de l'avoir accompagnée sur l'île, disant qu'elle ne l'avait pas fait assez. Ce vieux Shelley était rouge de confusion...

Ainsi, elle avait encore réussi à l'émouvoir !

A midi, Lynn alla, sous la pluie, jusqu'à la maisonnette de Shelley.

Celui-ci était en train de préparer le café.

— J'espérais que vous alliez venir, dit-il. Vous faites les meilleurs sandwichs du monde...

— C'est la seule raison ?

Il laissa le ton de plaisanterie pour répondre :

— Non. J'ai besoin de vous, Lynn ! Mon moral...

— Ça a été si dur que ça, sur l'île ?

— Oui. Gloria me tenait quasiment à sa

merci. Si j'ai dit quasiment, c'est que j'ai réussi à garder mes distances... Mais, ça n'a pas été facile !

— Mais, Shelley, vous avez dit que vous aviez déjà pu lui résister...

— Lynn, quand on a aimé comme j'ai aimé, on n'oublie pas... complètement.

— Mais, elle vous a traité si...

— C'est vrai. Et c'est à cause de cela et des quatre années qui ont suivi que j'ai acquis un courage neuf. Continuez de me soutenir, Lynn, et je finirai par gagner.

Shelley souriait timidement...

— Si elle pouvait s'en aller, Shelley !

Le sourire de Shelley s'effaça.

— Elle n'abandonnera pas si facilement, Lynn...

— Alors, il va falloir lutter, Shelley !... Et le combat sera dur.

Le soleil envoyait un timide rayon dans le paysage grisâtre que Lynn traversa pour retourner à l'hôtel.

L'après-midi allait éclore dans une nouvelle beauté dorée et les hôtes de *Blue harbor* pourraient profiter du parc. Il y aurait moins de clients, mais cela lui permettrait de faire un peu de ménage.

A la porte, elle tomba sur Jay.

— Que dirais-tu d'une longue promenade ce soir ? dit Jay. La nuit va être très belle... Cela fait bien longtemps que je ne me suis trouvé en tête à tête avec ma préférée...

Pendant une seconde, Lynn hésita. Puis, elle déclina l'invitation, prétextant qu'elle avait du travail.

— Alors, je suis mis au rancart ?... Mais, nous irons une autre fois, n'est-ce pas ?

Lynn fut tentée de lui conseiller de s'adresser à Gloria Hale, mais elle ne le fit pas. Cela l'aurait obligée à donner des explications...

Elle laissa là Jay et alla à la boutique.

A 17 heures, Shelley vint trouver Lynn. Il avait les traits tirés et les cheveux en bataille, mais il réussit à sourire.

— Lynn, accepteriez-vous de dîner ce soir avec moi dans un endroit calme ? Aujourd'hui...

— Encore Gloria Hale, n'est-ce pas ?

Le sourire de Shelley disparut.

— Oui. Elle est venue au hangar à bateaux avec Jay ce matin, et seule cet après-midi. Je l'ai ignorée, mais elle semblait penser qu'elle avait remporté une petite victoire... Nous pourrions aller à la *Lantern*. C'est une petite auberge bien sympathique...

Cette fois, Lynn n'eut pas la moindre hésitation...

— D'accord, Shelley !

— Je passe vous prendre à 19 heures.

Le reste de l'après-midi s'écoula très rapidement et à 18 heures Lynn prit le chemin du retour à travers la forêt.

Le ciel était dégagé et le soleil formait des nappes d'ombre et de lumière. Elle allait vite, sachant qu'elle aurait peu de temps pour s'apprêter...

Elle avait bien fait de se presser : à 19 heures, Shelley frappait à la porte.

Il avait mis un léger costume de lin et ses cheveux bruns avaient été très soigneusement brossés.

N'importe quelle femme aurait été heureuse de se trouver en sa compagnie...

— Le carrosse de Mademoiselle est avancé ! dit-il.

La *Lantern* était un bâtiment en bois, bas, niché dans un vallon. Si l'extérieur n'était pas accrocheur, l'intérieur était très agréable. Un bar étroit courait le long d'un des murs et la pièce était parsemée de petites tables recouvertes d'une nappe à carreaux rouges et blancs. L'établissement était réputé pour son excellente cuisine. L'embonpoint du chef qui apparaissait fréquemment à la porte de la cuisine constituait une excellente publicité...

Shelley conduisit Lynn jusqu'à une table.

— Ici, on ne viendra pas nous déranger !

Pensait-il à Gloria ? Il était improbable qu'elle vînt là, même en compagnie de Jay, car l'endroit n'était pas assez chic pour elle.

L'énorme juke-box laissait échapper une douce mélodie.

— Essayons celle-là ! dit Shelley.

Elle fut contente de sentir les bras puissants autour de sa taille. Ils dansaient bien ensemble, leurs pas s'accordaient sans qu'ils fissent effort.

Shelley pressa la joue contre la chevelure de Lynn...

— Vous me faites du bien !

Ils retournèrent à leur table et passèrent commande. Ils furent bientôt servis.

— Je passe une excellente soirée, dit Shelley. J'espère que vous aussi, Lynn ?

— Tout à fait.

Et c'était vrai.

Elle évoqua de nouveau la question de sa peinture :

— Shelley, la boutique a besoin d'autres œuvres ! Il y a eu deux ou trois commandes...

— Travailler, toujours travailler, encore travailler ! dit-il gaiement. Vous êtes une esclavagiste, Lynn !

— Mais, cela vous fait du bien !

— Oui, c'est une bonne thérapie. Mais une thérapie douleureuse... Je vais essayer, je vous le promets !

— Pourquoi ne pas peindre l'hôtel, Shelley ? Beaucoup aimeraient emporter l'image de l'endroit où ils ont passé leurs vacances.

— Vous pourriez avoir raison, Lynn. (Les yeux de Shelley brillèrent.) Une grande carte postale, par exemple, qu'on pourrait photographier...

Ils rentrèrent sous une lune très brillante qui répandait une lumière argentée. Dans la forêt, le haut des arbres était auréolé et les petits animaux étaient nombreux.

Lynn était ravie d'être assise à côté de Shelley dans la vieille voiture qui brinquebalait.

A un moment, Shelley tint le volant d'une main et pressa doucement les doigts de sa compagne.

— Je suis heureux que nous ayons eu cette soirée, dit-il.

Il s'arrêta devant la porte de la maison de Lynn.

— Je vais vous laisser, dit-il. Je suis pressé de retrouver mes pinceaux... Cela ne vous paraît-il pas bizarre, Lynn ?

Ils restèrent silencieux quelques instants sous le porche et c'est alors qu'il se pencha et l'embrassa doucement. Elle ressentit un petit pincement au cœur.

— Merci encore, Lynn ! murmura-t-il. Je... J'ai agi impulsivement, mais je ne le regrette pas...

— Moi non plus, répondit-elle doucement.

— Alors, bonsoir, Lynn ! A demain !

Lynn regarda s'éloigner la voiture.

Ce baiser l'avait émue très profondément...

Son cœur battait encore à un rythme rapide et le goût des lèvres de Shelley ne s'était pas dissipé.

Elle se demanda un instant si elle ne perdait pas le contrôle de soi-même. Elle avait été sensible à la tendresse et à la désinvolture de Jay, au point qu'elle s'était demandé si elle n'était pas en train de s'éprendre de lui. Et maintenant... Mais Shelley, lui, n'était pas un homme qui aimait à « papillonner ». Ces quatre années qu'il avait passées solitaire le montraient assez.

Elle rentra et donna de la lumière.

Elle alla directement à son établi. Il fallait qu'elle travaillât pour ne plus penser ! Mais...

Elle travailla autant qu'elle le put. Quand elle s'arrêta, elle avait mal au dos et les doigts gourds.

Elle alla à la fenêtre. La lune était basse et la forêt était sombre et secrète.

Ses pensées revinrent à Shelley, à ses rapports avec Gloria Hale, à sa volonté de se remettre à peindre, et bien entendu à ce qui s'était passé ce soir.

Elle se coucha mais ne trouva pas le sommeil.

- Elle éprouvait la même inquiétude que la veille de sa sortie de l'école secondaire...

Il y avait eu Paul et leur timide baiser d'adolescents... Ils étaient devant la maison de ses parents et elle avait apprécié ce baiser. En rentrant, elle était sûre que Paul serait l'homme de sa vie.

Mais Paul ne s'était plus manifesté.

Quand elle l'avait revu, il était avec Clara Day. Il était évident qu'ils étaient en termes... excellents !

Plus tard, Paul et Clara s'étaient disputés et Paul était venu la courtiser. Naïvement, elle avait cru qu'il était sincère. Mais Clara était intervenue et Paul était retourné à elle.

Pendant un certain temps elle avait souffert à cause de l'inconstance de Paul.

Shelley était donc encore sous l'influence de Gloria Hale, dans une certaine mesure.

Ce baiser n'était donc qu'une manifestation de sincère amitié.

C'est sur cette idée que Lynn s'endormit.

Shelley se dirigeait vers *Blue Harbor* à vive allure. Il n'avait pas menti quand il avait dit à Lynn qu'il était pressé de retrouver ses pinceaux ! Il avait d'ailleurs déjà l'idée de ce qu'il ferait... Cela se vendrait probablement. Le bâtiment sur fond d'arbres...

Il était détendu. Il avait passé une excellente soirée et Lynn avait paru aussi satisfaite que lui.

Ce baiser... Il avait agi instinctivement. Mais, comme ses lèvres avaient été douces ! Les lèvres de Gloria avaient-elles jamais été douces ?

S'il avait été sensé, il se serait épris d'une femme comme Lynn. Alors il aurait été heureux ! Au lieu de cela, il s'était isolé, vivant avec ses souvenirs. Homme à tout faire à *Blue Harbor*, il s'était accommodé de cette vie. Mais, Gloria l'avait rencontré et poursuivi.

Quand il arriva dans le parc, l'hôtel était encore éclairé.

Quand il fut chez lui, il alluma l'unique lampe, au-dessus du bureau. Avec un peu de chance, il pourrait saisir l'image qui était dans son esprit et la transcrire.

Il travailla environ une heure à son esquisse. Il avait perdu l'habitude de ce dur labeur, ses doigts étaient raides et maladroits, mais il fut satisfait du résultat.

Puis, il prit sa palette, ses pinceaux, et il fit ce qu'il avait eu l'intention de faire.

Quand il eut fini, il savait qu'il avait réussi.

Si Lynn avait été là, elle aurait été aussi excitée que lui ! Il regretta qu'elle ne l'eût pas accompagné.

Il entendit un bruit de pas... Pouvait-ce être elle ?

Il se précipita et ouvrit.

Gloria se tenait devant lui, dans un fourreau blanc qui soulignait sa silhouette, le chignon haut.

Elle sourit.

— Je me promenais et j'ai vu de la lumière ! dit-elle.

Shelley resta silencieux.

— Tu ne me proposes pas d'entrer, Shelley ?

Gloria parlait d'une voix amicale, comme si elle était venue là sans arrière-pensée.

— Je travaille ! dit-il.

Gloria rougit légèrement

— Ne te méprends pas, Shelley ! Je suis venue juste te faire une petite visite amicale...

Il pensa qu'elle avait changé de tactique.

Il s'effaça pour la laisser entrer et elle sourit de nouveau.

— Continue ton travail ! dit-elle. Tu te souviens, il y a longtemps, je restais assise, à te regarder travailler.

Oui, il se souvenait !

— Je préférerais que tu ne restes pas ! dit-il.

— Oh ! allons, Shelley ! dit-elle sans cesser de sourire. Nous pouvons être bons amis. Je demande simplement à passer un petit moment avec toi.

Quelque chose dans le ton de sa voix fit comprendre à Shelley qu'elle avait une idée en tête. Mais quoi ?

— Comme tu voudras ! lança-t-il.

Il retourna à son bureau, mais l'inspiration avait disparu.

— Tu es parti tôt, dit Gloria suavement, et tu es habillé comme si tu étais sorti...

Peut-être que s'il lui disait la vérité...

— J'ai dîné avec Lynn Baylon ce soir. Je lui dois beaucoup ; c'est elle qui m'a remis sur le chemin que je n'aurais jamais dû quitter !

— Et puis, elle est très attirante, n'est-ce pas ? Pourquoi taire cela, Shelley ?

Un éclair de colère était passé dans le regard de Gloria.

— Mais, elle ne peut pas t'aimer comme moi, Shelley, dit-elle.

— Je ne parle pas d'amour, Gloria. Lynn et moi, nous ne sommes pas amoureux. Je ne pourrai plus jamais aimer ! De cela tu es responsable, Gloria !

— L'amour n'est jamais complètement détruit, Shelley ! Il peut somnoler pendant un temps, mais on peut le ranimer. Toi et moi, nous pourrions revenir en arrière, retrouver notre amour, Shelley...

Il se leva.

Il fallait que l'un des deux s'en allât !

— Je suis navrée pour tout, Shelley, dit-elle. Si je pouvais recommencer ma vie, je ne ferais pas les mêmes erreurs. Je suis plus âgée et, je l'espère, plus sage. Et j'ai besoin de toi !

— Ne dis pas n'importe quoi, Gloria ! Tu sais que tu ne changeras jamais. Tu es une bête de proie et tu ne seras jamais victime !

Gloria tremblait d'indignation.

— Ne parle pas comme ça, Shelley ! A t'entendre, je serais un vautour !

Il haussa les épaules.

La franchise n'aurait d'effet que de la faire souffrir...

Alors elle se jeta à son cou...

— Je t'en prie, Shelley, ne sois pas cruel, murmura-t-elle. Ne peux-tu comprendre que je t'aime de nouveau ?

Tout naturellement, il l'étreignit.

En la regardant, il vit des larmes sur ses joues. C'était bien la première fois qu'il la voyait pleurer !

Elle posa, avec beaucoup de douceur, ses lèvres sur les siennes...

Pendant une seconde il répondit à son baiser, puis il se dégagea.

— Je t'en supplie, Shelley, aime-moi !

Elle s'accrocha à lui, exigeante.

Etait-ce parce qu'elle était exigeante ? Toujours est-il qu'il la repoussa.

— Gloria, on ne peut remonter le cours du temps ! Le pourrait-on que je ne le voudrais pas !

Gloria eut une expression de colère, puis de satisfaction. Au moins il l'avait tenue dans ses bras !

Shelley se disait que cette femme était machiavélique, qui savait user de tous les stratagèmes.

— Maintenant, va-t'en Gloria ! dit-il en la regardant bien en face. La fête est terminée !

— Cependant... Réfléchis, Shelley, et tu comprendras que tu as besoin de moi !

— Vas-t'en, Gloria, et oublions ce qui s'est passé !

Elle se dirigea lentement vers la porte.

— Je m'en vais, Shelley, mais nous nous retrouverons !

Elle sortit et claqua la porte.

Pendant quelques instants il resta immobile.

Puis, il éprouva le besoin de respirer de l'air pur et sortit à son tour.

Mais Gloria l'accompagna dans la douce nuit, image nette et claire qu'il détestait.

Il marchait droit devant lui, dans le clair de lune.

Lorsqu'il fut fatigué, il se laissa tomber sur l'herbe tendre d'une clairière.

Il alluma une cigarette, en aspira goulûment la fumée.

Il fallait qu'il fît le point. Peut-être que Gloria avait raison : l'amour, le véritable amour, mourait-il jamais ? Il l'avait aimée vraiment...

Il tira pensivement sur sa cigarette.

Pendant ces quatre années, n'avait-il pas vécu ? Certes, sa vie avait été morne...

Et puis Lynn Baylon était intervenue, qui l'avait secoué...

Lynn !

Le calme, la douceur, et cette faculté qu'elle avait de comprendre...

Son image chassa celle de Gloria...

Il fuma jusqu'à sa dernière cigarette.

Les premières lueurs de l'aube apparaissaient lorsqu'il se releva.

Tout en marchant, il se dit qu'il devrait plus que jamais se garder de Gloria...

CHAPITRE XIII

La journée s'annonçait merveilleuse. Le roitelet offrit une aubade à Lynn et elle se leva.

Elle était d'excellente humeur.

Peut-être même que Shelley...

La veille, elle avait eu le sentiment qu'il se dégageait de l'emprise de Gloria. A preuve ce baiser dont le goût lui revenait...

Elle portait la tasse de café à ses lèvres mais arrêta son geste...

N'aimait-elle pas Shelley ? Mais, où commençait l'amour ?

L'hôtel débordait d'activité quand elle y arriva. Les clients s'étaient répandus sur les pelouses, sur le bord de la piscine ou dedans.

Jay lui adressa un salut joyeux alors qu'elle rangeait sa voiture. Valerie était avec lui et elle en paraissait satisfaite. Sa journée d'amuseur avait commencé !

Elle alla ouvrir la boutique, se demandant de quoi ce jour-là serait fait...

Sa première cliente serait Gloria...

Ce jour-là, elle était vêtue de jaune et elle portait ce bracelet qu'elle avait acheté la veille.

Un léger sourire flottait sur ses lèvres quand elle lui dit bonjour. Lynn éprouva le mécontentement que Gloria lui inspirait toujours, mais elle répondit poliment car elle était là pour vendre.

— Je voudrais des boucles d'oreilles qui aillent avec ce bracelet, dit Gloria.

Lynn prit une paire et la lui présenta.

Puis, elle la regarda accrocher les boucles à ses oreilles.

Gloria était en train de jouer au chat et à la souris, elle le voyait bien.

— Quelle belle journée ! dit-elle pour dire quelque chose.

Gloria fronça les sourcils.

— Si l'on aime les exercices physiques dans un parc... Ce n'est pas mon cas !

Pourquoi rester ? eut envie de lancer Lynn.

Puis vint la perfidie...

— Shelley vous a-t-il apporté ses esquisses ? Il y travaillait cette nuit...

A la satisfaction de Gloria, Lynn avait sursauté...

Gloria disait-elle la vérité ? Avait-elle retrouvé Shelley après qu'il l'eut laissée ?

— Il dit que je l'aide à retrouver son talent, ses idées, le désir de produire quelque chose...

Gloria voulait pousser l'avantage...

« Mensonge ! » eut envie de crier Lynn.

— Nous sommes revenus là où nous en étions avant, Shelley et moi, voyez-vous, mademoiselle Baylon, et nous ne pourrions être plus heureux.

Ces paroles sonnaient vrai. Shelley avait bien dit qu'il craignait de ne pouvoir résister à Gloria...

Lynn souhaitait que la mince et belle jeune femme s'en allât, ce qui lui permettrait de réfléchir.

— Je prends ces boucles d'oreilles, dit Gloria, comme si elle avait lu dans ces pensées.

Mais Lynn croyait entendre : « Shelley est à moi, ma petite ! »

Gloria prit son paquet, paya, et partit d'une démarche pleine de grâce.

Quand elle eut disparu, Lynn resta immobile derrière le comptoir. Si seulement elle pouvait voir Shelley, lui parler, entendre de sa propre bouche que la visite que Gloria lui avait rendue ne signifiait rien !

La matinée se passa lentement et les clients furent particulièrement difficiles, ce qui l'empêcha de réfléchir.

A midi, dans la chaleur torride, elle alla

jusqu'à la maisonnette de Shelley, mais il n'était pas là.

Elle se rendit près du lac, s'assit sous un pin et mangea, seule.

Elle ne trouva aucun goût aux sandwichs et le café de Shelley lui manqua.

Quand elle retourna à la boutique, elle avait mal à la tête et elle se sentait fatiguée.

Elle se réprimanda ! Pourquoi se faire du souci à propos de Shelley ? C'était un homme, et il devait être capable de mener sa propre vie, avec ou sans Gloria. Et pourtant l'inquiétude sourde demeura.

A 15 heures, elle n'en put plus.

Peut-être qu'une promenade dans la forêt lui ferait du bien ? Elle accrocha un petit carton — *Ouvert à 17 heures* — et s'en alla.

Elle pénétra dans la forêt et goûta immédiatement le calme et les senteurs. De tous côtés les oiseaux chantaient.

Elle prit un chemin bien tracé.

Elle apprécia la douceur du tapis d'aiguilles sur lequel elle marchait, mais cela ne l'empêcha pas de penser...

Gloria avait-elle menti ? Elle avait été si assurée... Et pourquoi Shelley ne s'était-il pas trouvé chez lui ? Il était fort peu probable qu'il eût été occupé — sinon par la belle Gloria — à cette heure-là !

Elle quitta le chemin et s'enfonça dans la forêt.

Elle marcha, marcha...

A un moment, elle se dit qu'elle pourrait bien se perdre.

Non, elle ne se perdrait pas : le soleil serait là pour l'aider à retourner à *Blue Harbor*. Cette forêt, ce n'était tout de même pas la jungle !

Elle continua donc, perdue dans ses pensées.

Epuisée, elle se laissa tomber sur une souche pourrissante et décida de remettre un peu d'ordre dans ses pensées. Quand elle l'aurait fait, elle retournerait à l'hôtel, retirerait le carton, puis elle rentrerait chez elle. Là, elle dînerait rapidement et se mettrait au lit.

Le lendemain, ce serait différent. Peut-être que Shelley saurait lui expliquer son absence ?

Un petit écureuil s'approcha d'elle, leva sa longue queue, la regarda de ses yeux en boutons de bottine, repartit ; un geai cajola.

Cela ne tira pas Lynn de ses soucis...

Enfin, elle se leva et se remit en marche.

Il faisait sombre à présent.

C'est alors seulement qu'elle se souvint de la petite barre de grisaille qui était à l'horizon quand elle s'était mise en route. N'allait-elle pas avoir du mal à retrouver son chemin ?

Elle fit immédiatement demi-tour.

Elle n'eut aucune difficulté à s'orienter. Mais, cela ne dura pas.

Elle prit au hasard un chemin et se mit à courir. Le chemin ne menait nulle part !

Apeurée, elle prit une autre direction, courant aussi rapidement qu'il lui était possible. Cette fois encore, elle avait pris la mauvaise !

Elle s'assit et réfléchit. On remarquerait bien son absence à *Blue Harbor*...

Elle essaya de se souvenir : quelqu'un l'avait-il vue partir ? avait-il remarqué qu'elle s'en allait vers les bois ? Julian Snow sortait de l'hôtel à ce moment-là, mais l'avait-il vue ? Comme elle avait été imprudente de ne dire à personne où elle allait !

Elle se releva et alla droit devant elle.

Elle arriva à un petit étang qu'elle ne connaissait pas. Elle n'était donc jamais passée par-là.

Des moustiques s'abattirent sur elle, une branche basse la gifla...

La peur au ventre, elle repartit...

Seul le hasard guidait ses pas.

Elle s'assit sur une souche, désespérée.

Devait-elle attendre là qu'on vînt à son secours ? Mais, était-on seulement parti à sa recherche ? Et dans ce cas la retrouverait-on avant la nuit ?

Elle regarda sa montre. Il était déjà 18 heures. Bientôt il ferait nuit !

Ses pensées se portèrent sur Shelley. Si seulement elle lui avait dit qu'elle allait dans le bois ! Elle avait tant besoin de lui maintenant !

Soudain, elle fut frappée par la vérité : elle aimait Shelley ! Et depuis longtemps ! N'était-ce pas à cause de cela qu'elle s'intéressait tant à ses problèmes ?

Pendant un moment elle oublia dans quelle situation elle se trouvait... Elle était si heureuse !

Maintenant elle comprenait pourquoi son baiser l'avait tellement remuée. Shelley l'avait troublée comme jamais personne ne l'avait fait. Mais Shelley, lui, était-il un tout petit peu amoureux d'elle ? Il y avait eu Gloria. Pourrait-il jamais vivre une autre passion ?

Elle revint à la réalité du moment.

Il fallait qu'elle passât la nuit à la belle étoile.

Elle se coucha sur la terre et chercha le sommeil.

Elle entendait les mille bruits de la forêt, mais elle ne s'en effrayait pas : son esprit était tout entier tourné vers Shelley.

Elle finit par s'endormir.

Quand elle se réveilla, elle était toute raide — l'humidité avait fait son œuvre — et elle avait faim.

Qu'allait-elle faire ? s'en aller ou rester là ?

Elle décida de marcher pour se dégourdir. Mais, elle ne savait pas plus que la veille où elle se trouvait...

La forêt s'éclaircissait.

Elle marcha pendant près d'une heure.

Soudain elle sursauta de joie : un grand pin au tronc tourmenté avait attiré son attention, à proximité duquel elle était passée.

Mais, elle réalisa qu'elle était passée là la veille, alors qu'elle errait.

Elle tomba à genoux et se mit à sangloter.

Shelley avait garé le camion devant le hangar et déchargeait le bois. Il regrettait d'être arrivé trop tard pour pouvoir déjeuner en compagnie de Lynn.

Quand il en aurait terminé, il irait à la boutique pour lui exprimer ses regrets. Et il lui parlerait de la visite que lui avait faite Gloria ! Il lui paraissait important de tout raconter à Lynn. Il avait tant besoin d'elle...

Le travail fait, il alla à l'hôtel. *Ouvert à 17 heures*. Il pensa que, pour une raison quelconque, elle avait dû se rendre chez elle. Il reviendrait donc à 17 heures.

Regardant machinalement vers le parking, Shelley remarqua que la voiture de Lynn était là.

Lynn avait-elle été tout simplement se promener ? Shelley fronça les sourcils : cela ne lui ressemblait guère d'abandonner sa boutique !

Il retourna au hangar.

Il travailla, mais l'inquiétude ne le quitta pas.

Quand Julian Snow fut là, il lui dit :

— Savez-vous où est Lynn ? Elle a annoncé que la boutique serait fermée jusqu'à 17 heures, mais sa voiture est là et je ne l'ai vue nulle part.

— Je l'ai vue vers 15 heures, répondit Julian Snow, soucieux. Elle semblait aller vers la forêt. Peut-être voulait-elle se dégourdir les jambes après avoir passé tant de temps derrière son comptoir ? Elle connaît bien la région, vous savez !

Mais, les paroles de Julian Snow ne rassurèrent pas Shelley... Pourquoi Lynn aurait-elle eu soudain envie de marcher dans la forêt ?

Une heure plus tard, Gloria Hale allait répondre en partie à cette question.

Il la rencontra alors qu'il se dirigeait vers le lac, une planche sous le bras. Elle souriait.

— Quelle joie de te... revoir, susurra-t-elle.

Elle voulut lui donner le bras, mais il l'écarta.

— J'arrive de la boutique, Shelley... Je voulais acheter quelque chose pour une amie, mais la petite demoiselle n'était pas là. C'est curieux, parce qu'elle y était il n'y a pas si longtemps ! Je lui ai acheté des boucles d'oreilles.

— A quelle heure ?

— Ce matin. Peut-être lui ai-je dit quelque chose qui l'a... irritée ! J'ai mentionné que nous nous étions... rencontrés cette nuit...

Shelley fut pris de colère.

— Tu n'avais pas le droit de faire ça ! s'écria-t-il.

Gloria sourit.

— Mais, c'était la vérité, mon chéri ! Si cela a dérangé mademoiselle Baylon, comme je le crois, je suis vraiment navrée. Je ne pensais pas que vous étiez si proches l'un de l'autre. Peut-être est-elle amoureuse de toi, Shelley, comme moi...

— Ne dis pas ça ! Tu ne m'aimes pas, Gloria... Seul ton orgueil — je devrais dire plutôt ta méchanceté — te guide ! J'ai peur que Lynn ne se soit perdue !

Gloria haussa les épaules.

— Comme c'est inquiétant, Shelley ! Ne devrais-tu pas partir à sa recherche ?

Il savait qu'elle le regardait, mais il ne se retourna pas.

Il travailla jusqu'à 17 heures.

Alors il reprit le chemin de l'hôtel.

Lynn n'était pas revenue !

Il repartit, revint à 18 heures.

Il alla trouver Julian Snow dans son bureau.

— Mademoiselle Baylon n'est toujours pas là ! lui dit-il. Je crains qu'elle ne se soit perdue dans les bois...

Julian se leva.

— Il faut que nous partions à sa recherche avant la tombée de la nuit, Shelley ! Je vais appeler les Smith. Peut-être Jim et ses deux garçons pourront-ils se joindre à nous. Au total, nous serions six. Avec Jay... Peut-être devrions-nous emporter un brancard...

Une demi-heure plus tard, les six hommes partaient à la recherche de Lynn.

— Elle doit avoir très peur ! dit Jay.

C'est ce que pensaient aussi les autres.

le ciel était couvert et il faisait sombre sous les arbres. La nuit serait tombée dans moins de deux heures.

Shelley essaya de repousser son anxiété en explorant la zone qui lui avait été attribuée. Lynn avait-elle été vraiment ébranlée par ce que lui avait dit Gloria ? Etait-ce à cause de cela qu'elle s'en était allée ainsi ? Mais, lui, n'était-il pas coupable de ne pas avoir chassé Gloria ?

L'équipe s'était profondément enfoncée.

Les hommes se concertaient, se dispersaient, se rejoignaient.

A 20 heures, ils allumèrent les torches électriques.

Finalement, Shelley les fit s'arrêter.

— Nous pourrions passer à côté d'elle sans la voir, dit-il. Elle s'est peut-être endormie et ne nous entendrait pas. Nous allons camper et reprendre les recherches à l'aube.

Ils firent un feu, mangèrent les sandwichs et burent le café qu'ils avaient apporté !

Bien entendu, tous pensaient à Lynn, mais il était visible que Shelley était le plus inquiet.

Julian et Jay s'approchèrent de lui.

— Ne vous inquiétez pas, dit Julian. Nous la trouverons !

— Mais elle n'est pas préparée, répliqua Jay. Un chasseur pourrait parfaitement s'en tirer. Mais Lynn...

— Assez ! dit Shelley. Nous la retrouverons !

Jay retourna auprès du feu.

— Espérons que ce ne sera pas trop tard ! dit-il sottement.

L'un après l'autre, les hommes sombrèrent dans la somnolence. Même Shelley !

Dès les premières lueurs, les hommes reprirent leurs recherches. Mais, une pluie fine tombait à présent.

Ils firent le tour d'un petit étang.

Shelley était largement devant Julian qui était le plus proche de lui. Maintenant, il était fou d'inquiétude. Il écartait violemment les broussailles de ses mains nues, avançait à pas rapides et fouillait du regard tout ce qu'il pouvait.

Il ne pourrait vivre sans elle...

Il comprit qu'il l'aimait ! Gloria appartenait au passé définitivement !

Il pressa le pas.

— Vous allez trop vite, Shelley ! cria Julian. Vous ne fouillez pas tout ! Calmez-vous, mon vieux !

Alors il ralentit.

A midi, ils s'arrêtèrent.

— Nous l'avons ratée ! dit Jay. Elle n'a pu aller si loin.

Le grand Jim Smith répondit :

— On a vu des gens faire bien plus de chemin qu'on ne les croyait capables.

Le regard de Bob Smith devint aigu.

— Quelqu'un est passé par ici ! dit-il. Les broussailles sont couchées et les brindilles cassées.

— Ça pourrait être un cerf ! dit Julian.

— Ça pourrait ne pas l'être !

L'espoir revint et ils se mirent à fouiller avec encore plus de méthode.

Hélas ! ils ne trouvèrent rien.

Tout en marchant, Shelley priait : « Je vous en prie, mon Dieu, faites qu'elle vive ! Ne me l'enlevez pas à l'instant où je découvre que je l'aime ! »

A 15 heures, Julian demanda qu'on fît halte.

— Nous allons nous reposer une heure, dit-il, pour ne pas courir le risque d'être épuisés nous-mêmes. Si nous devons passer encore cette nuit dehors, il va falloir faire attention ! Nos provisions sont maigres...

— Nous aurions dû être plus nombreux ! dit Jay.

— Cela vaudrait la peine de retourner à l'hôtel pour chercher du renfort, dit Julian en haussant ses larges épaules. Et puis, elle est peut-être rentrée !

On décida que Bob Smith irait à *Blue Harbor* demander du renfort. Il sortit sa boussole.

— Je connais un raccourci, dit-il. Je peux être ici dans quatre heures.

Les cinq autres repartirent. Ils marchaient plus lentement maintenant et passaient plus de temps à examiner les buissons.

— Nous devons aller plus vite ! lança Shelley. Chaque minute compte.

— Cela ne servirait à rien, dit Julian d'une voix douce.

Jay était à la hauteur de Shelley et il parla à

voix basse pour que les autres n'entendissent
pas :

— Je commence à comprendre ton désir de
retrouver Lynn. Tu es amoureux d'elle, n'est-ce
pas ?

— C'est vrai, répondit Shelley.

— Elle t'aime ?

— Je ne sais pas. Si nous la trouvons...

— Si nous la trouvons...

Ils atteignirent l'endroit où Bob devait les
rejoindre.

La pluie avait cessé, mais le ciel était lourd
de nuages.

Bob Smith arriva enfin, ses larges épaules
affaissées à cause de la fatigue.

— Pas de chance ! dit-il. Elle n'est pas rentrée.

Toute la journée ils cherchèrent.

D'autres cherchaient ailleurs.

Le soir, Julian dit d'une voix douce qu'il faudrait cesser le lendemain.

Cela voulait dire qu'il désespérait qu'on
retrouvât Lynn vivante !

Cette nuit-là, Shelley ne ferma pas l'œil une
minute. Il voyait le visage de Lynn...

EPILOGUE

Lynn rampa jusque sous un arbre pour se mettre à l'abri de la pluie. Elle était épuisée et désespérée. Elle resterait là jusqu'à ce que quelqu'un la trouvât ou que... Elle repoussa cette idée. Il n'était pas pensable qu'on ne la recherchât pas !

On finirait bien par la retrouver !

Mais, elle était si fatiguée... La faim la tourmentait. Mangerait-elle de ces baies d'un bleu terne qui poussaient sur un buisson, près de là. Mais, les oiseaux n'y touchaient pas, ce qui signifiait qu'elles étaient dangereuses...

Le ciel s'éclaircit un peu, mais le soleil ne se montra pas. Elle resta misérablement dans son trou. Même si le soleil était apparu et qu'elle eût pu s'orienter, elle n'aurait pas marché. Elle n'en aurait pas eu la force et sa cheville lui faisait mal.

Surtout, elle ne devait pas s'endormir, pour

pouvoir entendre le moindre appel. Mais, la fatigue était la plus forte et elle somnolait de temps à autre.

La nuit tombait...

Un écureuil, un hérisson, passèrent devant la pauvre Lynn.

Elle repensa à des histoires de gens égarés qui tuaient et mangeaient des animaux. Aurait-elle attrapé un animal qu'elle aurait pu le faire cuire.

Elle se laissa retomber lourdement sur le tapis de feuilles, en proie au plus profond découragement.

Lorsque la nuit devint noire, elle se prépara à dormir. Autant conserver quelques forces !

Elle rêva...

Shelley était devant elle, les bras tendus, et elle se précipitait vers lui avec joie. Elle sentait ses lèvres sur les siennes, ses bras robustes autour d'elle.

Elle se vit seule ensuite... Elle était étendue, sans vie, et la forêt était silencieuse...

Elle se réveille brusquement et ne put se rendormir que beaucoup plus tard.

Elle ouvrit les yeux aux premières lueurs.

Dans la lumière diffuse, elle vit que sa cheville avait enflé ; elle souffrait d'ailleurs d'élancements.

Quelqu'un viendrait-il enfin à son secours ?

A 10 heures, elle essaya de se relever.

Si elle arrivait à se mettre à découvert, on la verrait plus facilement !

Elle ne réussit qu'à se traîner.

Au début, le son était très lointain.

Sans doute n'était-ce qu'une bête...

Elle voulut crier, mais seul un son rauque sortit de sa gorge.

Puis, il y eut le bruit d'une voix humaine.

Cela ressemblait à un appel.

Elle chercha encore à crier, mais sans plus de succès.

Elle fit une nouvelle tentative, qui cette fois fut couronnée de succès.

Le bruit se rapprocha et soudain un grand homme en chemise à carreaux fut devant elle.

— Ne bougez pas, mademoiselle Baylon ! Les autres vont arriver...

Il mit les mains en porte-voix et appela.

— Shelley ? demanda-t-elle.

— Il est avec nous. Détendez-vous ! Maintenant, tout va aller bien.

Elle se laissa aller avec reconnaissance sur le lit de feuilles qui lui parut très doux. On l'avait trouvée ! Comme il venait de le dire, tout irait bien. Et Shelley serait bientôt auprès d'elle !

Deux autres hommes arrivèrent : Jay et Julian Snow.

Comme leur sourire était réconfortant !

Julian s'accroupit à côté d'elle, ouvrit une bouteille.

— Là, buvez ! dit-il. Quand Bob arrivera, il vous donnera du bouillon.

L'eau apaisa sa gorge desséchée et elle put de nouveau parler.

— Shelley ? demanda-t-elle encore.

— Il sera là dans une minute, répondit doucement Jay. Il est loin devant sur la gauche mais il a entendu nos cris. Ne t'inquiète pas, Lynn, il arrive. Il était fou d'anxiété.

Enfin elle le vit !

Il arriva jusqu'à elle à grandes enjambées et se jeta à genoux.

Il passa ses bras autour d'elle et la tint comme un enfant.

— Lynn, enfin nous vous avons trouvée !

Puis, il posa sa joue rugueuse contre la sienne et elle l'entendit murmurer :

— Je vous aime, Lynn. Je vous aime passionnément !

— Nous nous sommes enfin trouvés, Shelley ! souffla-t-elle.

On la déposa sur le brancard et on la recouvrit d'une couverture.

Après qu'elle eut avalé du bouillon, on se mit en route.

Les deux fils Smith portaient le brancard à côté duquel Shelley se tenait.

Ainsi, sur le chemin du retour, elle voyait son visage au dessus du sien et y lisait l'amour.

— Reposez-vous ! dit-il. Tout ira bien pour nous. Nous sommes enfin sur la bonne route.

— Gloria ?

— C'est fini ! Je vais avoir une conversation avec elle pour le lui signifier...

Elle ferma les yeux. Elle dut s'endormir, car, lorsqu'elle rouvrit les yeux, ils étaient à l'orée de la forêt et l'hôtel se dressait devant eux.

On la transporta dans l'entrée où se trouvait Alice Snow.

— Emmenez-la à la chambre 26 ! dit Alice. Julian, appelle le docteur Loach !

Bientôt Lynn se trouva dans un lit douillet.

Le Dr Loach, un petit homme rond, arriva et l'examina.

Ses yeux brillaient derrière ses lunettes.

— Vous avez de la chance ! dit-il rapidement. En dehors de votre cheville et de la fatigue, vous vous en sortez très bien. Mais, je ne vous recommanderais pas de recommencer. La forêt peut être un piège mortel, vous devez vous en douter à présent.

Quand il partit, Shelley se tenait à la porte. Il portait encore ses vêtements de forêt et Lynn le soupçonna d'être restée là depuis qu'on l'avait ramenée. Elle leva la main vers lui. Il s'approcha et la saisit dans sa poigne puissante.

— Le médecin a dit que vous alliez bien, répéta-t-il.

Puis, il se pencha vers elle et ils échangèrent un long baiser.

— Je vous aime ! dit-il. Je vous aimerai toute ma vie !

Il la regarda.

— Maintenant, je vais aller voir Gloria pour une ultime confrontation. Alors, à tout de suite, ma chérie !

Après son départ, le temps lui parut horriblement long. Cela se passerait-il comme il l'avait dit ? Gloria allait-elle accepter sa défaite ?

Shelley revint enfin. En voyant son visage, elle comprit ce qu'il en était : Gloria était partie !

FIN

Achevé d'imprimer
le 1er septembre 1981
sur les presses
de l'imprimerie Cino del Duca,
18, rue de Folin, à Biarritz.
N° 290.

Dépôt légal n° 464.   4e trimestre 1981.